RHESTR O
ENWAU LLEOEDD

A GAZETTEER OF
WELSH PLACE-NAMES

A GAZETTEER OF
WELSH PLACE-NAMES

PREPARED BY

THE LANGUAGE AND LITERATURE COMMITTEE
OF THE BOARD OF CELTIC STUDIES
OF THE UNIVERSITY OF WALES

EDITED BY

ELWYN DAVIES

CARDIFF
UNIVERSITY OF WALES PRESS
1967

RHESTR O
ENWAU LLEOEDD

PARATOWYD GAN

BWYLLGOR IAITH A LLENYDDIAETH
BWRDD GWYBODAU CELTAIDD
PRIFYSGOL CYMRU

GOLYGWYD GAN

ELWYN DAVIES

GYDA RHAGAIR GAN

IFOR WILLIAMS

CAERDYDD
GWASG PRIFYSGOL CYMRU
1967

Argraffiad cyntaf, 1957
Ail argraffiad, 1958
Trydydd argraffiad, 1967

First edition, 1957
Second edition, 1958
Third edition, 1967

WILLIAM LEWIS (ARGRAFFWYR) CYF., CAERDYDD

CYNNWYS

CONTENTS

CYDNABOD HELP

Bu'r gwaith o ddiwygio'r enwau lleoedd yng ngofal Pwyllgor
Iaith a Llenyddiaeth y Bwrdd, a'm cyfrifoldeb innau ydoedd
sicrhau'r manylion daearyddol, sef y disgrifiad, y lleoli mewn
plwyfi, y cyfeiriadau at y Grid Prydeinig, a hefyd y rhag-
ymadrodd. Cefais help gyda'r gwaith hwn gan bob aelod o'r
pwyllgor, ac yn arbennig gan yr Athro Henry Lewis (cadeirydd
y pwyllgor), yr Athro Thomas Jones, Mr. Melville Richards,
Mr. R. J. Thomas, a'r Athro G. J. Williams. Fy ngwraig a
dynnodd ffigurau 1–3. Fy nghyd-weithiwr Mr. I. M. Williams
a lywiodd y llyfr drwy'r wasg, a bu yntau'n helpu mewn llawer
dull a modd. Arbedwyd i mi lawer o lafur copïo a dosbarthu
enwau gan fy ysgrifenyddes, Mrs. A. M. Elliott, a'i chynorth-
wywyr, Miss Shirley Sanders a Miss Shirley Webb. Bu'r
argraffwyr yn dra amyneddgar a deheuig. Mawr yw fy nyled
a'm diolch iddynt oll.

E.D.

ACKNOWLEDGMENTS

The revision of the orthography of the place-names has been
the responsibility of the Language and Literature Committee
of the Board. I have been responsible for the geographical
details, viz. the description, allocation to parishes, and
National Grid references, and also the introduction. In this
work I have received much help from every member of the
committee, and in particular from Professor Henry Lewis (the
chairman of the committee), Professor Thomas Jones,
Mr. Melville Richards, Mr. R. J. Thomas, and Professor
G. J. Williams. My wife drew the diagrams on pp. xvi–xviii.
My colleague Mr. I. M. Williams has seen the book through
the press and has helped in many other ways. My secretary,
Mrs. A. M. Elliott, and two of her assistants, Miss Shirley
Sanders and Miss Shirley Webb, have relieved me of much
of the labour of copying and classifying names. The printers
have been most patient and skilful. To all of them I am much
indebted and very grateful.

E.D.

1957.

RHAGAIR

Mae'n rhyfedd y cymhellion gwahanol sy'n gyrru dynion i ddarllen rhes o enwau lleoedd fel hon! Bydd rhai wrthi hi yn troi'r dalennau'n wyllt—eisiau gwybod p'le mae'r fan a'r fan: pobl ddoeth, brysur, yw'r rhain. Bydd eraill yn darllen yn hamddenol, enw ar ôl enw—chwilio mae'r rhain am enwau barddonol tlws eu hynganiad, a gorawenu at berseinedd ambell un, a gadael i'w ffansi chwarae'n ddifyr â'r etholedigion rai. Pawb â'i hwyl ei hun.

Ar y cychwyn nid oedd enw lle ond disgrifiad ohono. Yng Nghymru, wrth gwrs, Cymraeg, gan mwyaf, yw iaith y disgrifiad; rhydd y lliw neu'r llun, y perchennog, neu ei waith, neu ei lysenw, ac felly yn y blaen. Hen iawn weithiau yw'r enw a'r iaith. Yng nghwrs canrif-oedd, newidiodd y Gymraeg gryn dipyn yn ei geirfa, ac yn ei hynganiad, gan golli geiriau, ac ennill cyfystyron newydd. Ond cadwyd yr enwau lleoedd, er bod gwerin gwlad yn araf golli ystyron lliaws, ac o'r diwedd yn eu hebrgofi yn llwyr. Mewn amser, daw deddf arall i weithredu; dechreuir teimlo diddordeb arbennig yn yr enwau anodd ac annealladwy hyn, a rhoir cynnig ar ôl cynnig i gael ystyr iddynt. Dyfeisir chwedlau difyr neu echryslon i'w hesbonio, gan ystumio a newid peth ar y sain i'r stori ffitio yn well. Bwrier fod cath wyllt ffyrnig yn yr hen oes mewn rhos neu graig, a bod Rhos y Gath neu Garreg y Gath wedi dod ar arfer am y lle. Wedi i'r gath wyllt a'i gwrhydri ddiflannu o'r wlad, a mynd i blith y pethau a fu ac a ddarfu, ni welir mwyach briodoldeb yr enw, a rhaid ei newid; mae *cath* yn ddigon tebyg i *cad*, hen air am fyddin a brwydr, ac nid oes angen ond treisio un gytsain yn y gair i gael enw rhamantus diddorol, *Rhos y Gad*, *Carreg y Gad*, a chymer yr enw ystumiedig ei le bellach fel atgof gau am frwydr enwog na fu erioed.

Weithiau ceid geiriau estron mewn enwau lleoedd,
a gadwyd am ganrifoedd, gan beri penbleth a phoen
meddwl i do ar ôl to o Gymry uniaith a'u defnyddiai
yn gyson. Pwy allai wneud synnwyr o enw fel *Maesincla*
ger Caernarfon, nes i'r hanesydd lleol ddarganfod mai
maes a berthynai i *Hinckley*, dinesydd neu fwrdais o'r
dref, ydoedd? Neu o Allt *Cichla* ger Porthaethwy,
nes i rywun ddarganfod *Keighley* ymhlith bwrdeisiaid
Biwmares oesoedd maith yn ôl? Yn ymyl Caeathro,
ger Caernarfon, y mae *Gallt-y-Sil*: yngenir y *Sil* gydag *i*
fer neu gydag *y* fer, gan frodorion yr ardal, nes ei fod
yn odli â'r Saesneg *bill*, neu â *bil* yn Gymraeg. Felly
nid y *sīl* sydd yn eisin *sīl* yw. Heblaw hynny, nid oes *y*
o'i flaen, meddai gwreigdda o'r Waunfawr wrthyf;
tystiodd mai *Gallt Sil* oedd yr ynganiad a glywodd
erioed. (Ni ofynnais ei hoed o gwrteisi.) Wele, yn
y calendr o ddogfennau 1541–1558 a gyhoeddodd
Cymdeithas Hanes Sir Gaernarfon y dydd o'r blaen
dyry Mr. Ogwen Williams ddwsin a mwy o gyfeiriadau
at Robert Sill (Syll), a Henri neu Harri Syll, fel gwŷr
ar banel rheithwyr Caernarfon a Chonwy. Mae Robert
yn 'bailiff of Caernarvon', a phenderfyna hynny mai
yn y dref honno yr ydym i'w roi ef. Am Henri, tybed
mai ef yw'r Henry Syll 'of Rhythallt, yeoman', y
tyngwyd yn ei erbyn ei fod yn cadw popty yn Rhythallt
ac yn crasu a gwerthu yno fara a elwid yn 'sale
breade' yn Ebrill, 1555? Deallaf fod hyn yn erbyn
braint Caernarfon, ac yn drosedd cyfreithiol. Boed
felly, amlwg yw fod y cyfenw yn weddol gyffredin yng
nghyffiniau'r dref. Cynigiaf fod Gallt Sil neu Syl yn
coffa un o'r teulu.

Ni fedraf ymatal heb sôn am enw diddorol arall, se
Mynydd *Mynytho*, yn Llŷn. Yn y gyfrol uchod cyfeirir
at ryw helynt yno yn 1549; nid yw, ysywaeth, yn ei
gwneuthur yn haws i mi ei esbonio, ond chwanegu at
y tywyllwch canys gelwir ef yn *Mynydd Myniffo*. Gwn
fod cymysgu rhwng *th* ac *ff*, megis *benthyg* a *benffyg*,
neu'r Saesneg *nothing* a *nuffin*, ond ni wn pa sain sydd
wreiddiol.

Mi wrantaf y bydd lliaws yn troi at y rhestr hon fel y gwneuthum i at gyfrol fawr arall, gan ddisgwyl cael golau ynddi ar ryw hen enw hysbys ond annealladwy yn eu hardaloedd hwy. Ofnaf mai siomiant fydd eu rhan. Nid esbonio'r enwau yw'r amcan ond rhoi mewn cyfresi hwylus enwau trefi a phentrefi ein gwlad; y plasau a'r neuaddau a fu'n enwog gynt fel cartrefi noddwyr ein llên, ac yn destunau moliant ein beirdd o oes i oes; y mynyddoedd a'r bryniau, yr afonydd a nentydd a gerid ganddynt fel y carwn ninnau hwy, cefndir bywyd ein cenedl. Llawlyfr yw hon ar gyfer Cymro a Sais a fyn gael hyd i'r rhain ar y map swyddogol wrth astudio hanes Cymru, neu lên Cymru. Nid yw'n berffaith, wrth gwrs, ond mae'n ymdrech deg i lanw bwlch go fawr a gellir ei gwella o bryd i bryd fel y bydd ein gwybodaeth o'r amser gynt yn cynyddu. Daeth llyfr ar ôl llyfr o Wasg ein Prifysgol yn ddiweddar sy'n chwanegu'n sylweddol at ein gwybodaeth, a daw eraill eto.

I'r ieithydd a'r gramadegwr hefyd y mae yma ddefnydd ac achos i ddiolch a chydnabod. Gallwn gasglu ffeithiau diddorol am y tafodieithoedd oddi wrth y modd y newidiwyd enwau lleoedd. Nid cyfamserol oedd y datblygu seiniau a'r newid: dangosir hynny yn eglur gan y ffurfiau. Amrywia'r terfyniadau yn fawr. Er enghraifft, ceir *Brynna* a *Bryniau, Strade* ac *Ystradau*; gwyddys fod *llysau* a *llysiau* yn cydfyw yn ein clasuron; *llynnau* a *llynnoedd*. Felly cawn *nentydd* fel lluosog *nant*, a *nanheu, nanneu*, a *Nannau*, gyda *Nanney* fel amrywiad Seisnigaidd. Yn yr un modd ceir *Dolgelley, Dolgelle, Dolgellau*. Casglwn, gan hynny, nad oedd a wnelai'r enw â'r gair *celli* 'grove', gan mai lluosog hwnnw yw *cellïau, cellïoedd*. Ar yr *i* yr oedd yr acen ynddo a chedwid yr *i* honno beth bynnag arall a gollid o'r gair. Felly, ni throai *Dolgellïau* byth yn *Dolgellau*. Ar ôl yr enw benywaidd *dôl* ceid y gytsain yn meddalu: dyna pam y ceir *-gellau* yn yr ynganiad. Golyga *cell* yr un peth â'r Saesneg *cell*; daw y ddau o'r

Lladin *cella* ac ystyr hwnnw yw 'store-room, chamber, granary, stall, hut, cot', ac fel term eglwysig 'ystafell mynach neu feudwy'. Yn *Exchequer Proceedings* Jeffreys Jones, td. 224, rhoir hanes cwyn cyfreithiol yn amser y brenin Iago I, 'The market town or borough of *Dolgelley* and divers parcels of waste grounds and commons in and adjoining the town. One weekly market and three annual fairs have been kept time out of mind for the buying and selling of cattle and other commodities. The king's subjects have had their *stalls* and standings on the waste grounds paying the crown farmer divers sums of money for each site'. Felly, ers cyn cof yr oedd *stalls*, sef *cellau*, yn rhan o'r dre farchnad bwysig hon a dyna pam, yn ôl fy marn i, y galwyd y Ddôl yn *Ddolgellau*.

Ond rhaid i mi roi gorau i fanylu fel hyn. Fy swydd i yw datgan ein mawr ddyled i Dr. Elwyn Davies am ei drafferth a'i lafur i sicrhau cywirdeb safle pob lle ar y map, ac i Dr. Henry Lewis a'r Pwyllgor Iaith a Llên am eu dygn ymroddiad i benderfynu ffurf pob enw bellach. Nid bychan oedd eu gorchwyl.

IFOR WILLIAMS.

RHAGYMADRODD

Bu'r Bwrdd Gwybodau Celtaidd, ers blynyddoedd, yn cynghori'r *Ordnance Survey* ynghylch ffurfiau enwau lleoedd yng Nghymru. Wrth baratoi'r chweched argraffiad o'r map ar y raddfa un fodfedd i'r filltir, ceisiwyd gan y Bwrdd ddiwygio pob enw ar y map hwnnw. Ymddiriedwyd y gwaith i Bwyllgor Iaith a Llenyddiaeth y Bwrdd.[1] Llafuriodd aelodau unigol o'r Pwyllgor yn galed i ddiwygio enwau fesul ardal, a bu'r Pwyllgor cyfan am oriau lawer yn ystyried gwahanol ffurfiau cyn penderfynu ar y rhestr. Barnwyd mai da o beth fyddai cyhoeddi ffrwyth y llafur hwn, ac er mwyn ychwanegu at ddefnyddioldeb y rhestr, penderfynodd y Bwrdd ei hargraffu ar ddull geiriadur daearyddol, neu *gazetteer*, lle y rhoir nid yn unig yr enw ei hunan, ond hefyd ryw amcan beth yw'r lle a nodir, gydag enw'r plwyf sifil a'r sir y perthyn iddynt, a chyfeiriad at y Grid Prydeinig (gw. t. xv). Cyhoeddir y rhestr, felly, yn y ffurf hon. Eto i gyd, prif bwrpas y rhestr yw dangos sut y dylid sgrifennu enwau lleoedd Cymraeg, a pheth ychwanegol yw unrhyw ddefnyddioldeb a all fod iddi fel geiriadur daearyddol. Gan hynny, nid yw'r rhestr yn un gyflawn, ond eto ceisiwyd cynnwys ynddi enwau Cymraeg pob tref a phlwyf, a'r prif nodweddion daearyddol, pentrefi, gorsafoedd y rheilffyrdd, a llythyrdai; ni chynhwyswyd enwau ffermydd onid oes iddynt ryw ddiddordeb hanesyddol neu lenyddol. Yr unig reswm dros gynnwys rhai enwau yw oherwydd bod y ffurfiau a roddir arnynt yn gyffredin ar fapiau yn anghywir. Bryd arall nodwyd enw un lle, ac anwybyddwyd lleoedd eraill o'r un

---

[1] Weithiau nid yw'r *Ordnance Survey* yn arfer y ffurfiau a awgrymir gan y Pwyllgor oherwydd byddant yn defnyddio ffurfiau Saesneg ambell dro ac y mae gan y *Survey* eu hegwyddorion eu hunain wrth ddewis rhwng ffurfiau'r Pwyllgor a'r rheini a arferir gan awdurdodau lleol, perchnogion ffermydd, etc.

enw, gyda'r bwriad i'r enw a nodwyd ddangos sut y dylid sillafu'r enw hwnnw bob amser. Diau fod llawer o enwau y dylid eu hychwanegu at y rhestr a diau hefyd fod ynddi lawer o wallau. Byddwn yn ddiolchgar os tynnir ein sylw at y cyfryw bethau. Wrth wneud hyn, dylid rhoi tystiolaeth fanwl ynglŷn â'r ffurfiau y tybir eu bod yn gywirach ac yn fwy arferedig.

Pan roddir ail ffurf Gymraeg mewn cromfachau ar ôl enw, golyga hyn fod yr ail ffurf yn amrywiad derbyniol; ambell dro rhoddir enw Saesneg mewn cromfachau i sicrhau dod o hyd i le ar y map, yn enwedig pan nad yw'r enw Cymraeg yn digwydd ar fapiau'r *Ordnance Survey*.

Ofer, bron, fyddai ceisio cysondeb perffaith mewn rhestr fel hon, ond ar y cyfan glynwyd wrth yr egwyddorion canlynol:

(i) Pan geir nodweddion daearyddol, megis afonydd a mynyddoedd, yn ymestyn ar draws nifer o blwyfi, ni nodir enwau'r plwyfi hynny ond enw'r sir neu'r siroedd yn unig. Hyd yn oed pan nodir plwyfi nid yw'r rhestr bob amser yn gyflawn; ni nodir efallai namyn rhyw un neu ddau er rhoi rhyw amcan am y lleoliad i'r sawl y mae'n well ganddo ddisgrifiad yn ôl plwyfi nag yn ôl ffigurau'r grid.

(ii) Defnyddir byrfoddau, fel *ca.*, *cp.*, *eg.*, am gastell, capel, ac eglwys, pan na cheir dim namyn y nodweddion hynny yn y man a'r lle. Nis nodir ar wahân pan geir hwynt mewn pentref neu dref; y byrfodd am y pentref neu'r dref yn unig a roddir. Rhoddwyd yr enw *plas* wrth enwau nifer o dai a oedd gynt yn blastai, er bod llawer ohonynt bellach yn ffermdai neu wedi eu haddasu at ryw bwrpas arall.

(iii) Pan geir enw yn ymestyn dros gryn bellter ar y map, cyfeirir at y sgwâr yn y grid lle mae'r enw'n dechrau. Rhoddir fel rheol ddau gyfeiriad at afonydd hirion, y naill at yr enw rywle'n agos i darddiad yr afon, a'r llall at yr enw yn agos i'r aber.

(iv) Gydag enw sy'n perthyn i blwyf yn ogystal ag i bentref, rhoddir cyfeiriad at y pentref.

xii

(v) Rhoddir enwau afonydd, llynnoedd, a mynyddoedd ar ôl y geiriau *afon, llyn,* a *mynydd.*

(vi) Defnyddir y term *pentref* yn ei ystyr Gymreig, sef unrhyw gasgliad cryno o dai a all gynnwys hanner dwsin o dai, neu ddau gant neu dri. Oni cheir yno ddim namyn nifer o dai ar wasgar, defnyddir *ardal.* Defnyddir *ardal* hefyd, yn hytrach na *maestref,* am ran o dref, gan mai ychydig o drefi Cymru sydd â maestrefi yng ngwir ystyr y gair. Defnyddir *tref* am y lleoedd hynny sy'n gweithredu fel canolfannau marchnad i'r wlad o gwmpas. Galwyd llawer lle yn yr ardaloedd diwydiannol yn 'bentref', yn hytrach na 'thref', am nad oes iddynt ganolfan drefol na swyddogaeth ddinesig, er bod eu poblogaeth yn aml iawn yn fwy niferus na'r eiddo llawer tref farchnad yng nghefn gwlad Cymru. Gellir dadlau llawer ynghylch beth yn hollol yw'r gwahaniaeth rhwng 'pentref' a 'thref' petai hynny'n bwysig; yr hyn y ceiswyd ei wneud oedd dilyn egwyddor gyson.

Darparwyd y rhestr hon ar sail y chweched argraffiad o fap modfedd yr *Ordnance Survey,* a diwygiwyd hi ar sail y seithfed argraffiad o'r map hwnnw. Y mae'r argraffiad olaf hwn yn un llawer harddach na'r chweched, ac wrth ei ddiwygio gadawyd allan lawer o enwau er mwyn sicrhau glendid y map, ac y mae colled ar ôl rhai ohonynt. Ni ddilewyd y rhain o'r rhestr, ac felly y mae yma rai enwau nas ceir ar y seithfed argraffiad, ond dyry'r cyfeiriadau atynt amcan gweddol gywir am eu lleoliad.

Dilynwyd dwy egwyddor gyffredinol wrth ddiwygio'r enwau. Yn gyntaf, dylid ysgrifennu enwau lleoedd, hyd y galler, yn un gair. Yn ail, dylid eu hysgrifennu fel y gellir, wrth ddarllen, eu hacennu'n gywir yn ôl rheolau arferol yr iaith Gymraeg; i sicrhau hyn defnyddir cysylltnodau i ddangos safle'r acen. Gwneir eithriad pan geir enw disgrifiadol fel *afon, bwlch, cefn, cwm, glyn, llyn, moel, morfa, mynydd, nant,* etc., yn elfen gyntaf mewn enw ar nodwedd ddaearyddol. Yn y rhain ysgrifennir yr enw disgrifiadol ar wahân, ac felly hefyd gydag enwau lle y ceir *betws*, a *capel*, fel elfen gyntaf ond pan fo'r fannod yn dilyn. Ond pan fo'r enwau daearyddol hyn yn rhan o enw pentref neu fferm ysgrifennir hwynt yn un gair, e.e. *Cwm Aman* am y cwm, ond *Cwmaman* am y pentref a'r plwyf.

Dyma'r rheolau cyffredinol a fabwysiadwyd gan y Pwyllgor, ond ceir hefyd nifer o eithriadau:

(1) Unsillaf + unsillaf a'r brif acen ar y sillaf olaf.

    Rheol: *Cysylltnod*, gydag eithriadau

      e.e. Llan-faes

          Bryn-coch

          Rhyd-ddu

    Enghraifft o eithriad amlwg: Caerdydd.

(2) Lluosillaf + unsillaf a'r brif acen ar y sillaf olaf.

    Rheol: *Cysylltnod*

      e.e. Aber-cuch

          Eglwys-fach

          Pibwr-lwyd

    Pan fo acen grom ar y sillaf olaf, nid oes angen cysylltnod, e.e. Aberdâr.

(3) Unsillaf + lluosillaf.

    Rheol: *Dim cysylltnod. Ysgrifenner yn un gair*

      e.e. Brynaman   Cwmbychan

          Brynsiencyn   Llanbadarn

          Ceinewydd   Tyddewi

    Enghraifft o eithriad amlwg: Coed-duon.

(4) Lluosillaf + lluosillaf.

    Rheol: *Dim cysylltnod. Ysgrifenner yn un gair*

      e.e. Castellnewydd   Eglwysnewydd

          Dolaugwyrddion   Pentrefoelas

          Eglwysilan   Ystradmeurig

(5) Enw + y + enw a'r elfen olaf yn unsillaf acennog.

    Rheol: *Cysylltnod*

      e.e. Betws-y-coed

          Gwaelod-y-garth

          Tal-y-bont

(6) Enw + y + enw a'r elfen olaf yn lluosillaf.

Rheol: *Dim cysylltnod. Ysgrifenner yn un gair*

e.e. Cerrigydrudion   Maesycrugiau
Cwmyreglwys   Penymynydd
Llwynypia   Rhydyceisiaid

Y GRID PRYDEINIG

Cyfundrefn seml o linellau rhifedig, a argreffir yn batrwm sgwâr ar fapiau, yw'r Grid Prydeinig. Drwy gyfeirio at y rhifau a roddir i'r llinellau hyn gellir lleoli unrhyw fan yn gymwys ar y map. Tynnir y llinellau ar hyd ac ar draws y map, o'r gogledd i'r de ac o'r gorllewin i'r dwyrain, a rhifir hwynt yn ôl eu lleoliad i'r dwyrain ac i'r gogledd o gornel de-orllewinol y rhwydwaith; gorwedd y cornel hwn y tu hwnt i Ynysoedd Scilly.

Rhifir y llinellau yn ôl y system fedrig, am fod y dosraniad hwn yn symlach ac yn haws na chyfundrefn o filltiroedd a llathenni. Y mae prif rifiad y llinellau bob 100 km., gan gychwyn yng nghornel de-orllewinol y grid a rhifo tua'r dwyrain a'r gogledd. Fel hyn ceir cyfres o sgwariau mawrion (gydag ochrau o 100 km.) a rhifir hwynt â dau ffigur, sef y rhifau a geir wrth y llinellau sy'n ffurfio ochr chwith ac ochr isaf y sgwâr, fel y gwelir hwy yn ffigur 1, h.y. y mae'r ddau ffigur, mewn gwirionedd, er eu bod wedi'u hysgrifennu gyda'i gilydd, yn ddau rif ar wahân sy'n mynegi mewn cannoedd o km. y pellter y gorwedd ochr chwith y sgwâr i'r dwyrain, a'r ochr isaf i'r gogledd, o gornel de-orllewinol y grid. Argreffir y ffigurau hyn mewn teip mân ar ymylon pob map, a dyma'r ddau ffigur a roddir o flaen y strôc yn y cyfeiriadau at y Grid Prydeinig. Rhoddant gyfeiriad bras at leoliad unrhyw fan, boed yng ngogledd-orllewin neu yn ne-orllewin Cymru, neu yn y gogledd-ddwyrain neu yn y de-ddwyrain. Trwy gyfeirio at ffigur 2, a ddengys berthynas mapiau modfedd yr *Ordnance Survey* a'r sgwariau mawr hyn, ceir amcan ynghylch y map y ceir y man a'r lle arno. Y mae'r ddau ffigur cyntaf hyn,

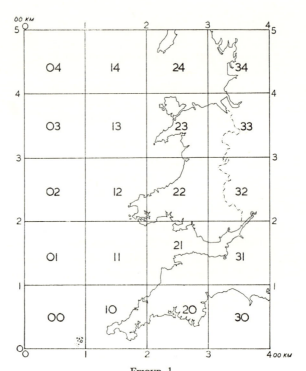

Ffigur 1

Sgwariau mawrion (gydag ochrau o 100 km.) y Grid Prydeinig
dros Gymru a gorllewin Lloegr.

Figure 1

*The incidence of the 100-km. squares of the National Grid on Wales and western
England.*

*The grid in figs. 1–3 is taken from the Ordnance Survey map with the sanction
of the Controller of H.M. Stationery Office.*

ynghyd â'r ffigurau a roddir ar ôl y strôc, yn gwneud
pob cyfeiriad at fapiau Ynys Brydain yn gwbl arbennig.

Ond y mae'r gyfundrefn hon o sgwariau mawrion
yn rhy fras i leoli man yn gymwys. Felly isrennir
hwynt gan linellau a dynnir bob deg km. ar fapiau ar
raddfeydd o ddeng milltir, a phedair milltir, i'r fodfedd.
Ceir israniad manach eto, gan linellau a dynnir bob
km. ar y mapiau modfedd, y mapiau dwy-fodfedd-a-
hanner, a'r mapiau chwe-modfedd. Rhifir y llinellau
hyn o 00 i 99 yn ôl y pellter y gorweddant i'r dwyrain ac
i'r gogledd o ochrau'r sgwariau mawrion (gydag ochrau
o 100 km.) a nodwyd uchod (gw. ffigur 3). Cyfeiria'r

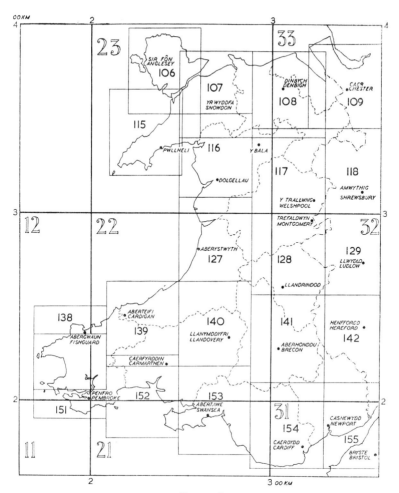

FFIGUR 2

Perthynas mapiau modfedd yr Ordnance Survey â sgwariau mawr y Grid Prydeinig dros Gymru a'r Gororau.
Tynnwyd llinellau'r grid yn drwchus, bob 100 km., a dyry'r ffigurau bras rifau'r sgwariau mawrion (gydag ochrau o 100 km.). Dengys y llinellau main derfynau'r mapiau modfedd; nodir rhif pob map y tu mewn i bob sgwâr a hefyd enw'r dref neu drefi neu ardal a ddefnyddir i gyfeirio at bob map.

Figure 2

The incidence of the sheets of the Ordnance Survey's one-inch map in relation to the 100-km. squares of the National Grid over Wales and the Border.
The thicker lines are the lines of the grid drawn every 100 km. and the large figures give the numbers of the 100-km. squares. The thinner lines show the areas covered by the several sheets of the one-inch map; the figures within these squares give the numbers of the sheets, and the towns and localities marked are those after which the sheets are named.

xvii

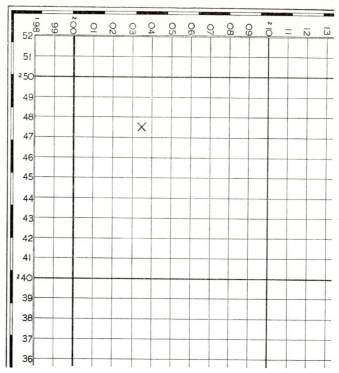

FFIGUR 3
Llinellau'r Grid Prydeinig fel y'u hargreffir ar y mapiau modfedd.
Dengys y llinell drwchus ddarn o ochr un o sgwariau mawr (gydag ochrau o
100 km.) y grid. Tynnir llinellau main bob 1 km., ac felly rhennir y sgwâr mawr
yn gant o sgwariau bach gydag ochrau o 1 km.; tynnir y llinellau hyn ychydig
yn fwy trwchus bob 10 km. Dengys y ffigurau bach ar yr ymyl rifiad y llinellau
mewn cannoedd o km. a dyry'r ffigurau mawr rifiad y llinellau bob yn km. o
fewn y sgwariau mawr sy'n ymestyn dros 100 km. Felly, fel y ceisiwyd egluro ar
d. xv, cyfeiriad y lle X yn ôl cyfundrefn y Grid Prydeinig yw 22/0347. Dyry'r
ddau ffigur cyntaf rif y sgwâr mawr (gydag ochrau o 100 km.) a cheir hwynt o'r
ffigurau bach a argreffir ar yr ymyl. Daw'r clwm o bedwar ffigur, ar ôl y strôc,
o rifau'r llinellau main sy'n ffurfio ochrau gorllewinol a deheuol y sgwâr bach
sy'n cynnwys y X.

Figure 3
Diagram of the lines of the National Grid as printed on one-inch maps.
*The heaviest line represents part of one side of a 100-km. square. The thin lines are drawn
at intervals of 1 km. and show the subdivision of these major squares into hundredths, thus
giving squares with sides of 1 km.; these lines are thickened at 10-km. intervals. The small
figures in the margin show the numbering of the lines in hundreds of kilometres and the
larger figures show the numbering of the lines in km. within the 100-km. squares. Thus, as
explained on pp. xxiv–xxvi, the National Grid reference to the place X is 22/0347. The
first two figures are the numbers of the large 100-km. square, and are derived from the small
figures in the margin. The four figures after the stroke are derived from the numbers of the
fine lines which form the west and south sides of the small 1-km. square within which
the X is written.*

pedwar ffigur, a roddir ar ôl y strôc yn y cyfeiriadau at y Grid Prydeinig, at y llinellau hyn a dynnir bob km. Dyry'r ddau ffigur cyntaf, o'r clwm o bedwar, y pellter rhwng y llinell unionsyth ac ochr orllewinol y sgwâr fawr, a dyry'r ail bâr o ffigurau y pellter rhwng y llinell draws ac ochr isaf yr un sgwâr. Y mae'r man y cyfeirir ato i'w gael o fewn y sgwâr fach a derfynir ar y gorllewin a'r de gan y ddwy linell hyn. Mewn gair, dyry cyfeiriad y Grid Prydeinig leoliad y llinellau, sy'n ffurfio ochrau gorllewinol a deheuol y sgwâr fach lle y ceir y man y cyfeirir ato, mewn cysylltiad â chornel de-orllewin y rhwydwaith. Felly y mae tre Caerfyrddin, gyda'r cyfeiriad 22/4120, yn gorwedd o fewn sgwâr sydd â'i hochr orllewinol ar linell sydd 241 km. i'r dwyrain o gornel de-orllewinol y rhwydwaith cyfan, a'i hochr ddeheuol ar linell sydd 220 km. i'r gogledd o'r un cornel.

I ddod o hyd i le ar y map

Defnyddier y pâr o ffigurau sydd o flaen y strôc i weld ym mha ran o'r wlad y mae'r lle, ac yna mynner y map o'r ardal honno. Ar y map hwnnw chwilier:

(*a*) ar hyd ymyl ogleddol neu ymyl ddeheuol y map, am y llinell sydd yn dwyn y rhif a geir yn y pâr cyntaf o ffigurau ar ôl y strôc; a

(*b*) ar hyd ymyl orllewinol neu ymyl ddwyreiniol y map, am y llinell sydd yn dwyn y rhif a geir yn yr ail bâr o ffigurau ar ôl y strôc.

Dilyner y ddwy linell, ar hyd ac ar draws y map nes y bônt yn cyfarfod â'i gilydd. Y mae'r man y chwilir amdano i'w gael o fewn y sgwâr fach sydd â'i chornel de-orllewinol yn gorwedd yn yr ongl a ffurfir gan gyfarfyddiad y ddwy linell.

Ôl-nodiad

Cafwyd, yn ddiweddarach, amrywiad ar y dull o nodi'r sgwariau mawrion, trwy ddefnyddio llythrennau yn lle ffigurau, o flaen y strôc. Wele'r tabl sy'n troi'r ffigurau'n llythrennau:

11/	=	SR/	23/	=	SH/
12/	=	SM/	31/	=	ST/
21/	=	SS/	32/	=	SO/
22/	=	SN/	33/	=	SJ/

Felly, mae cyfeiriad Caerfyrddin yn 22/4120 neu yn SN/4120.

INTRODUCTION

THE Board of Celtic Studies has long advised the Ordnance Survey on the orthography of Welsh place-names. When the sixth edition of the one-inch map was being prepared, the Board was asked to revise all the place-names on that map, and the work was entrusted to its Language and Literature Committee.[1] Individual members of the Committee devoted much time to the revision of particular sheets and the Committee itself gave many sessions to the examination and discussion of names. It was thought that it might be useful to put on record the results of this labour and, in the hope that it might add to the usefulness of the list, it was decided to issue it in the form of a gazetteer which would give not only the name itself but also some indication of what the named feature was, the *civil* parish and the county in which it lay, and a four-figure reference to the National Grid. This gazetteer is now issued, therefore, in that form. Nevertheless, the primary purpose of the list is to serve as a guide to the orthography of Welsh place-names; any usefulness it may have as a gazetteer is a secondary matter. For this reason the list is not exhaustive, although an attempt has been made to include the Welsh names of all towns and parishes and the chief natural features, villages, railway stations, and post offices; farm-names are usually given only if they have some historical, biographical, or literary interest. Sometimes a name has been included because it is commonly mis-spelt on maps; and one occurrence of a name may be noted, and other locations of the same name omitted, because

[1] It should perhaps be explained that the Ordnance Survey does not always use the forms recommended by the Committee since it sometimes prefers the English forms of some names and it has its own rules for deciding between those used by the Committee, local authorities, private owners, etc., when these are diverse.

it is intended merely as a guide to the orthography of that name in its several locations.

This list gives the Welsh forms of the place-names. When places have a Welsh name only, it is hoped that these forms will gain currency and replace debased or incorrect versions. Many places in Wales have also English or anglicized names. This gazetteer is not concerned with such, except to give their Welsh forms, but it should not be assumed that the Board insists on the replacement of English by Welsh forms in English writing and speech.

It was assumed that the proper Welsh forms of place-names would be of greatest interest to those who speak and use the language habitually, and for that reason the gazetteer has been arranged according to the conventions of the Welsh language. The abbreviations, definitions, and county names are also in Welsh, but a translation of them is given on pp. xxxvi–xxxvii; it is hoped that this will make it possible for English speakers to use the gazetteer without undue difficulty. Such users should also remember that the names are arranged in the order of the Welsh alphabet. In this alphabet, *ch*, *dd*, *ff*, *ng*, *ll*, and *rh* are distinct symbols which follow the letters, *c*, *d*, *f*, *g*, *l*, and *r*, respectively; thus, in the list, Llandysul comes before Llanddarog and Llanrhian comes after Llanrwst.

When a form occurs in brackets after a primary form, this is either an alternative and acceptable Welsh form or, if it is an English or anglicized form, it is given in order to assist identification on maps, e.g. Aberffraw is an alternative form of Aberffro, but Berriew, and still more obviously Brecon, are the anglicized form and English name respectively of Aberriw and Aberhonddu. The anglicized forms can readily be recognized, without much linguistic knowledge, from features such as the occurrence of double consonants (other than *dd*, *ff*, *ll*, *nn*, *rr*) and letters such as *k* and *v*, which are not used in the alphabet of modern Welsh.

It is almost vain to seek rigid uniformity in a list such as this, but in general the following conventions have been followed:

(i) Where natural features, such as rivers and mountains, extend through many parishes, parish names are not given but only the county names. Even when parish names are given in such cases, all the relevant parishes may not be noted; one or two may be given to serve as an indication of location for those who prefer descriptive, to mathematical, pointers. Two references are usually given to the longer rivers; these are to where the name occurs near the source and near the estuary.

(ii) Abbreviations, such as *ca.*, *cp.*, *eg.*, indicating castle, chapel, and church, respectively, are used only when those features occur in isolation. Where they occur in a village or town they are not separately noted, but only the abbreviation appropriate to village, town, etc., is given. The description *plas* (mansion) has been given to many places known to have been country houses, even though they may since have become farm-houses or have been put to some other use.

(iii) Where a place name extends over some distance on the map, the grid reference is to the square in which the writing of the name begins.

(iv) Where a name applies to a parish and to a village, the grid reference is to the site of the village.

(v) The names of rivers, brooks, lakes, and mountains are given after the Welsh forms of the words, river, brook, lake, and mountain, viz. *afon*, *nant*, *llyn*, and *mynydd* respectively.

(vi) The terms *pentref* (village or hamlet) and *tref* (town) are used in their Welsh sense. *Pentref* is used in Welsh to indicate almost any group of houses, which may include as few as half-a-dozen dwellings or as many as 200 or 300. Outside the industrial areas of the south and north-east of Wales the term 'town' is applied to those places that serve as market centres for the countryside; the distinction in Welsh between a *pentref* and a *tref* (village and town) is recognized much more readily than it can be described. In the industrial areas many agglomerations of dwellings, especially long ribbon-like strips in the coal-mining valleys of South Wales, have no recognizable centre or particular civic functions, and such have been defined as villages, although in very many cases their population is much larger than that of some of the market towns of the countryside. The term *ardal* is one that is commonly used in Welsh to indicate a rural area which has no particular bound but is regarded as an entity, even though it has no village or nucleated centre in it. Perhaps the nearest English equivalent would be the term 'locality' or 'neighbourhood'. It has also been used in the gazetteer for a part, or suburb, of a town.

(vii) The words for natural features such as lake, mountain, pass, ridge, river (*llyn, mynydd, bwlch, cefn, afon,* etc) are written separately from the specific name when they refer to such features, but when, as sometimes occurs, they are used in names of farms, villages, etc., they are written as one word, except where the use of a hyphen is necessary to indicate the stressed syllable (*see* p. xxxi).

> e.g. *Mynydd Bach* (an upland) and *Mynydd-bach* (a village).
>
> *Bwlch y Sarnau* (a pass) and *Bwlchysarnau* (a locality).

The gazetteer was originally prepared from the sixth edition of the one-inch map and revised from the seventh edition; the National Grid references are in general to the latter edition. Some names which occurred on the sixth edition have, in the interests of clarity and beauty of lettering, been omitted from the seventh edition; where these names were significant, they have been retained in the list.

THE NATIONAL GRID REFERENCES

The National Grid is a simple system of lines, forming a square network, printed on a map and numbered in such a way that the position of any place on the map can be given by means of a series of figures derived from these numbered lines. The lines are drawn from north to south and from east to west and are numbered according to their position east and north of the bottom left-hand corner of the whole network that covers Britain; this corner lies to the south-west of the Scilly Isles.

The lines of the grid are numbered according to the metric system, since this is more easily subdivided than a system of measurement in miles, furlongs, chains, and yards. The primary numbering is in hundreds of kilometres starting at the bottom left-hand corner of the grid and proceeding eastwards and northwards. This gives a series of large squares (each with sides of 100 km.) which are numbered with two digits.[1] These digits are the numbers of the lines that form their left-hand and lower sides respectively as shown in fig. 1 (p. xvi), i.e. the two digits, although written together, are in fact separate figures which give, in hundreds of kilometres, the distance at which the left-hand and lower sides of the square lie east and north respectively of the bottom left-hand corner of the entire grid system. These figures are printed in small type on the borders of all maps and they are the components of the first two figures, which come before the stroke, in the National Grid references. They are the means whereby the general location of the place may be determined, e.g. whether it is in north-west or south-west, north-east or south-east, Wales. By referring to fig. 2 (p. xvii) which shows the numbers of the sheets of the Ordnance Survey's one-inch map in relation to these major squares, some idea can be gained of the particular sheet on which the place is to be found. These first two figures, in conjunction with those that come after the stroke, make any map reference unique for the mainland of Britain.

This primary system of lines and squares is, however, too crude for locating places. It is, therefore, sub-divided by a further system of lines, drawn at intervals

---

[1] *See* postscript, p. xxvii.

of ten km. on maps with scales of ten miles, and four miles, to the inch, and still further by lines at intervals of one km. on the one-inch, two-and-a-half-inch, and six-inch maps. These latter are numbered from 00 to 99 according to their distance east and north of the sides of the large squares (each with sides of 100 km.) mentioned above (see fig. 3, p. xviii). The four figures which follow the stroke in a National Grid reference refer to these lines drawn at intervals of one km.[1] The first two figures, in the group of four, give the distance that the vertical line lies east of the left-hand side of the major square, and the second pair of figures gives the distance that the horizontal line lies north of the lower side of the major square. Within the square of which these two lines form the west and south sides, the place referred to will be found. In brief, the National Grid reference of any place gives the position, east and north of the south-west corner of the grid, of the lines forming the left-hand and lower margins of the square within which that place appears on a map on which the National Grid is printed. Thus the town of Carmarthen, for which the National Grid reference number is 22/4120, lies within a square the western side of which is along a line lying 241 km. east of the bottom left-hand corner of the whole grid and the lower side of which is along a line lying 220 km. north of the bottom left-hand corner of the entire grid system.

To find a place on a map

Use the pair of figures before the stroke to find the general area in which the place lies and obtain the appropriate map sheet. On this sheet find:

(*a*) along the north or south margins of the map, the line which is numbered with the first pair of figures after the stroke; and

---

[1] If the reference has more than four figures after the stroke this refers to further subdivision of the one-kilometre squares. In this gazetteer four-figure references only are given.

(*b*) along the west or east margins of the map the line which is numbered with the last pair of figures in the reference.

Follow these two lines inwards on the map to the point of intersection. The place required lies within the one-km. square of which this point of intersection forms the south-west, or bottom left-hand, corner.

Postscript

A modification of this system has been introduced whereby letters are substituted for the figures which denote the 100-km. square (that is to say the two figures before the oblique stroke). The remaining part of the National Grid reference is not affected.

A conversion table from the figure system to the letter system is given below:

11/ becomes SR/	23/ becomes SH/
12/ ,, SM/	31/ ,, ST/
21/ ,, SS/	32/ ,, SO/
22/ ,, SN/	33/ ,, SJ/

Thus Carmarthen, 22/4120, is also SN/4120.

THE PRONUNCIATION OF WELSH PLACE-NAMES

The pronunciation of Welsh place-names has long been a music-hall joke. To render Cefn-y-bedd as 'Seven in a bed' may be a way of conveying the quaintness of a strange tongue but it fails to make the name recognizable to the local inhabitant and destroys any chance of learning its meaning and its historical significance. Such place-names frequently have historical and literary associations that are widely known among the common people, and the blunderer among place-names may unwittingly be trampling on cherished ground.

The history of Anglo-Welsh relations has been such that the correct pronunciation of Welsh place-names has never acquired the status attached to the proper pronunciation of French, Italian, or Spanish names. Many who will take the utmost pains over Besançon,

Bologna and Badajoz, will panic when faced with the much simpler Bryncelyn, or may prefer to refer to it as a place near a perfectly rendered Beaumaris. This is a great pity, because Welsh names are much more pleasing to any ear when properly spoken than when tortured by the conventions of another tongue. If an attempt is also made to understand their meaning, they reveal a richness of descriptive detail that can provide a source of much delight and sometimes a touch of magic. The Celtic peoples have a fine sense of place and the names they use are worth knowing.

Welsh place-names are not so difficult to pronounce as the array of consonants would seem to suggest. Once the elements are mastered, the process is easy and reliable because Welsh is a much more phonetic language than English and the sounds represented by the letters are, on the whole, very consistent. It has none of the subtleties found in the proper pronunciation of many English place-names, such as Alnwick and Congresbury, Hardenhuish, Woolfardisworthy and Wymondham. Some of the sounds of the Welsh tongue are, however, as different from those of English as are the sounds of any other foreign language, and they need to be similarly learnt. To attempt to utter Welsh words with English sounds serves only to make pronunciation more difficult and sometimes impossible. Much of the difficulty that English speakers experience with Welsh names arises from failure to appreciate this fact. The only really difficult sound is that represented by the letter *ll*. This is more likely to be learnt by oral example and practised imitation than by written precept.

Welsh is a brave language and cannot be spoken mincingly or through immobile lips. The following general principles may help:

The consonants have each one sound only.

b, d, h, l, m, n, p, t, have the same sound as in English.

c, is always hard as in *cat* and is the equivalent in sound of the English *k*; it is never soft as in *city*, e.g. *caer* = Eng. *k-aye-r*.

ch, is the same harsh, throaty sound as in the Scottish *loch* when properly pronounced, or the German *nach*.

dd, represents a different sound from the English *d*; it has the same sound as *th* in *this* and *breathe*, e.g. *ddu* = Eng. *thee*.

f, has the same sound as the English *v*, e.g. *fan* = Eng. *van*.

ff, is the equivalent of the English *f*, e.g. *ffynnon* = Eng. *fun-on*.

g, is always hard as in *gate*, never soft as in *ginger*, e.g. *gogarth* = Eng. *go-garth*.

r, is trilled as in *merry*.

s, is hard as in *essay*; it never has the *z* sound as in *nose*.

The following double letters, which are elements in the Welsh alphabet, represent distinctive sounds:

ng, is almost always as in *long* but very occasionally it has the value of *ng* + *g* as in *longer*, e.g. *bangor* = *Bang-gor*.

ph, has the same sound as in English words like *'phone*.

rh, is a trilled *r* followed by the aspirate. The sound is not often heard in English, even in words like *rhinoceros*. A Scotsman with a brogue would use much the same sound in *perhaps*.

th, is as in *thin*, and is different from the sound in *this* and *breathe*, which is represented by **dd** in Welsh.

The vowels in Welsh are **a, e, i, o, u, w, y.** Unlike the consonants they have two values, short and long.

Long **a** = Eng. *ah*, as in *palm*, e.g. in *glas* the *a* is long, not short as in Eng. *lass*.

Short **a** is a pure, flat sound as in French *à la* and has nothing of the *ae* sound so often given to *a* in English, e.g. in *carn* the vowel sound is open and unlike that in the English equivalent *cairn*.

Long **e** is also a pure vowel sound rarely heard in southern English but is similar to *a* in *face, gate,* in northern pronunciation, e.g. *tre* is similar in sound to the French *très*.

Short **e** is as in *pen, get*.

Long **i** is the *ee* sound in words like *machine* and *eel*, e.g. *crib* = *kreeb*.

Short **i** is as in *pin* and *tim*.

Long **o** is as in *gore* and *door*, e.g. *dôl* = Eng. *dole*, *dolau* = Eng. *dole-aye*.

Short **o** is as in *not*, e.g. *morfa* = *morr-vah*.

Short **u**, as pronounced in North Wales, is a sound that is not known in English and is not easy to describe. It is not unlike the French *u* but is not rounded. In South Wales the sound approximates to long and short *i* as described above.

Long **w** is the *oo* sound in *pool*, e.g. *drws* = *drooss*.

Short **w** is the *oo* sound in *good*, e.g. *cwm* = Eng. *coomb*.

y, long and short, has two sounds, the 'clear' sound which is similar to the Welsh *i*, and the 'obscure' sound which, when long, is like *u* in *further*, and when short is like *u* in *gun*, e.g. in *mynydd* the first *y* is obscure and the second is clear, thus *mun-eedd*.

In general, vowels are short when followed by two or more consonants or by c, ng, m, p, t, and long when followed by b, ch, d, f, ff, g, s, th.

Stress. As a rule the accent is on the penultimate syllable in Welsh. Where the stress is thrown forward

on to the last syllable this is usually indicated by the
use of a hyphen in the forms given in this gazetteer.

e.g.	Brynáman	Bryn-glás
	Eglwysílan	Eglwys-fách
	Llanbádarn	Llan-gán
	Penybánnau	Pen-y-bónt

Some names are so well known that it is not
considered necessary to indicate the stress by inserting
hyphens, e.g. Caerdydd (= Caer-dydd), Pontypridd
(= Pont-y-pridd), Llanrwst (= Llan-rwst).

GLOSSARY

THE following glossary of the chief elements in Welsh place-names may help non-Welsh readers to a better understanding of their meaning. The list is by no means exhaustive, and may not be even adequate, but most elements, other than personal names, may be found in any good Welsh–English dictionary; it only remains to add that the pitfalls of popular etymology are neither fewer nor less deep in Welsh than in any other language. These elements sometimes prove troublesome to trace, because of the mutation of initial consonants which occurs when elements are compounded. The following are some examples:

The initial consonant of a feminine singular noun is softened after the definite article as in *Pen-y-bont* (= *pen* + *y* + *pont*), *Tafarn-y-gath* (= *tafarn* + *y* + *cath*), [*Y*] *Waunfawr* (*Y* + *Gwaunfawr*).

The initial consonant of the noun is softened after the preposition *ar*, as in *Pontargothi* (= *pont* + *ar* + *Cothi*); after the preposition *yn* it suffers a nasal mutation, as in *Llanfihangel-yn-Nhywyn* (= *llan* + *Mihangel* + *yn* + *tywyn*) and *Llanfair-ym-Muallt* (= *llan* + *Mair* + *yn* + *buallt*).

The initial consonant of an adjective undergoes a soft mutation after a feminine singular noun, as in *Rhyd-ddu* (= *rhyd* + *du*) and *Ynys-las* (= *ynys* + *glas*).

The initial consonant of the second element of a compound undergoes a soft mutation, as in *Brithdir* (= *brith* + *tir*).

The initial consonant of the genitive is softened after a feminine singular noun; the initial of a personal name in the genitive may be softened after a masculine singular noun; e.g. *Llanfihangel*, *Llanfair* (see above), *Tre-goed* (= *tre* + *coed*), *Llan-wern* (= *llan* + *gwern*); and *Tyddewi* (= *tŷ* + *Dewi*).

xxxii

The following table may help in tracing the radical forms of mutated consonants:

	Radical	p	t	c	b	d	g	m	ll	rh
	Soft	b	d	g	f	dd	—	f	l	r
Mutation	Nasal	mh	nh	ngh	m	n	ng	No change		
	Spirant	ph	th	ch	No change			No change		

aber estuary, confluence
afon river
allt hill, hillside, slope, wood
ar on, upon, over, by
arth *see* **garth**

bach (*adj.*) small, little, lesser
bach (*noun*), *pl.* **bachau** nook, corner, bend
ban, *pl.* **bannau** peak, crest, bare hill, beacon
banc bank, hill, slope
bangor consecrated land or mona tery within a wattled fence
bedwen, *pl.* **bedw** birch
bedd, *pl.* **beddau** grave
betws chapel of ease
blaen, *pl.* **blaenau** head, end, source of river, upland
bod abode, dwelling
bont *see* **pont**
braich ridge, spur, arm
bro region, vale, lowland
bron hill-breast, hill-side
bryn, *pl.* **bryniau** hill
bwlch pass, gap
bychan little, small, lesser

cadair, cader seat, stronghold
cae, *pl.* **caeau** field, enclosure
caer, *pl.* **caerau** fort, stronghold
canol middle
capel chapel, meeting house
carn, *pl.* **carnau** cairn, rock, mountain
carnedd, *pl.* **carneddau, carneddi** cairn, barrow, tumulus, mountain

carreg, *pl.* **cerrig** stone, rock
cas (as in Cas-bach) castle
castell castle, stronghold
cefn ridge
celli grove, copse
cemais river bends
cerrig *see* **carreg**
ceunant ravine, gorge, brook
cil, *pl.* **ciliau** corner, retreat nook
cilfach cove, creek, corner, nook
clawdd dyke, hedge, ditch
clogwyn precipice, crag
clun meadow, moor, brake, thicket
cnwc hillock, knoll
coch red
coed trees, wood, forest
cors bog
craig, *pl.* **creigiau** rock
crib crest, summit, arête
croes cross, cross-roads
croesffordd, croeslon cross-roads
crug, *pl.* **crugiau** knoll, tump
cwm valley, combe
cwrt court, yard
cymer, *pl.* **cymerau** confluence

dan under, below
dâr, *pl.* **deri** oak
darren *see* **tarren**
dau, *f.* **dwy** two
derwen, *pl.* **derw** oak
diffwys precipice, desolate place
din hill fortress
dinas hill fortress
diserth hermitage

xxxiii

dôl, *pl.* **dolau, dolydd** meadow, water meadow

domen *see* **tomen**

dre *see* **tre**

drum *see* **trum**

drws gap, narrow pass

du, *f.* **ddu** black, dark

dwfr, dŵr water

dwy *see* **dau**

dyffryn valley

efail smithy

eglwys church

eithin furze, gorse

erw acre

esgair long ridge

fach, fechan *see* **bach, bychan**

faenor *see* **maenor**

fan *see* **ban**

faerdref *see* **maerdref**

fawr *see* **mawr**

felin *see* **melin**

foel *see* **moel**

fron *see* **bron**

ffin boundary

fforch bifurcation, fork

ffordd way, road

ffos ditch, trench

ffridd, *pl.* **ffriddoedd** rough grazing enclosed from mountain, sheepwalk, wood

ffrwd, *pl.* **ffrydiau** stream, torrent

ffynnon, *pl.* **ffynhonnau** spring, well

gaer *see* **caer**

gallt hill, slope, wood

garn *see* **carn**

garnedd *see* **carnedd**

ganol *see* **canol**

garreg *see* **carreg**

garth hill, height; enclosure

garw rough, coarse

gelli *see* **celli**

gilfach *see* **cilfach**

glan river-bank, bank, hillock

glas green, blue

glas, glais (as in Dulas, Dulais) brook, stream

glyn deep valley, glen

goch *see* **coch**

goetre woodland dwelling or farm

gors *see* **cors**

graig *see* **craig**

grib *see* **crib**

groes *see* **croes**

gwaun moor, mountain pasture

gwern place where alders grow, swamp

gwyn, *f.* **gwen** white

gwyrdd green

hafod, hafoty summer dwelling, shieling

haidd barley

haul the sun

helygen, *pl.* **helyg** willow

hen old

hendre(f) winter dwelling, permanent home, *lit.* old home

heol, hewl road

hir long

is below, under

isaf lower, lowest

isel low

las *see* **glas**

lwyd *see* **llwyd**

llain, *pl.* **lleiniau** narrow strip of land

llan church, enclosure

llannerch clearing, glade

llawr flat valley bottom

llech slab, slate, stone, rock

llechwedd hillside

llety small house, shelter

llethr slope

lluest hut, cottage, shieling

llwch, *pl.* **llychau** lake

llwyd grey, brown

llwyn grove, bush

llyn lake

llys court, hall

maen, *pl.* **meini** stone

maenol, maenor residence of district chief

maerdre(f) hamlet attached to chief's court, lord's demesne
maes, *pl.* **meysydd** field, plain
mawr great, big
meini *see* **maen**
melin mill
melindre(f) mill village
melyn yellow
merthyr burial place, church
mign, *pl.* **mignedd** bog, quag-mire
moel bare hill, bald
morfa marsh, sea fen
mur, *pl.* **muriau** wall
mwyn ore, mine
mynachlog monastery
mynydd mountain, moorland

nant, *pl.* **nentydd, nannau** brook
newydd new

odyn kiln
onnen, *pl.* **onn, ynn** ash tree

pandy fulling mill
pant hollow, valley
parc park, field
pen head, top, end
penrhyn promontory
pentre(f) village, homestead
pistyll spout, waterfall
plas hall, mansion
pont bridge
porth gateway, harbour
pwll pit, pool

rhaeadr waterfall
rhiw hill, slope
rhos, *pl.* **rhosydd** moorland
rhyd ford

sain, san, sant, saint saint
sarn, *pl.* **sarnau** causeway

sych dry

tafarn, *pl.* **tafarnau** tavern
tair *see* **tri**
tal end
tan end, below
tarren, *pl.* **tarenni** rocky height, precipice
teg fair
tir land, territory
tomen mound
ton grassland, lea
traeth strand, beach, shore
trallwng wet bottom land
traws cross, transverse; direction, district
tre(f) homestead, hamlet, town
tri, *f.* **tair** three
troed foot
tros over
trum ridge
trwyn point, cape (*lit.* nose)
twyn hillock, knoll
tŷ, *pl.* **tai** house
tyddyn, ty'n small farm, holding

uchaf upper, higher, highest
uchel high
uwch above, over

waun *see* **gwaun**
wen *see* **gwyn**
wern *see* **gwern**

y, yr, 'r (*definite article*) the
ych ox
yn in
ynys island, holm, water meadow
ysbyty hospital, hospice
ystrad valley floor, strath
ystum bend (in river)

BYRFODDAU A DIFFINIADAU
ABBREVIATIONS AND DEFINITIONS

a.=afon: river
abaty: abbey
aber: estuary
ardal: locality
b.=bae: bay
basle: shallows
bd.=bwrdeisdref: borough
bd. sirol: county borough
bryn: hill
bw.=bwlch: pass
c.=cwm: combe, glen, valley
ca.=castell: castle
carnedd: cairn
cil.=cilfach: creek, cove
clog.=clogwyn: cliff, precipice
comin: common (land)
cors: bog
cp.=capel: chapel
craig: crag
cronfa ddŵr: reservoir
culfor: straits
cymer: confluence
ch.=chwarel
d.=dyffryn: valley, strath
eg.=eglwys: church
ff.=fferm: farm
g.=gorynys: peninsula
goleudy: lighthouse
gw.=gweler: see
hen dref: buried town

hyn.=hynafiaethau: antiquities
ll.=llyn: lake
llechwedd: hillside
llethr: slope
m.=mynydd: mountain
man: a place or spot
melin: mill
morfa: coastal moor or marsh
mwyn.=mwynglawdd: ore mine
n.=nant: brook
nid: not
ogof: cave
p.=pentref: hamlet, village
pen.=penrhyn: cape, headland
pl.=plwyf: parish
plas: mansion
pont: bridge
pwll glo: coalmine
rhaeadr: waterfall
rhostir: moorland
sir: county, shire
st.=stesion: railway station
t.=tref: town
traeth: beach
trwyn: point (cape)
y.=ynys: island
ysbyty: hospital
ysgol: school
ystad ddiwydiannol: trading
    estate

SIROEDD
COUNTIES

Brych.	=	Brycheiniog	:	Brecknockshire
Caerf.	=	Caerfyrddin	:	Carmarthenshire
Caern.	=	Caernarfon	:	Caernarvonshire
Cer.	=	Ceredigion	:	Cardiganshire
Dinb.	=	Dinbych	:	Denbighshire
Ffl.	=	Fflint	:	Flintshire
Maesd.	=	Maesyfed	:	Radnorshire
Meir.	=	Meirionnydd	:	Merioneth
Môn	=	Môn	:	Anglesey
Morg.	=	Morgannwg	:	Glamorgan
Myn.	=	Mynwy	:	Monmouthshire
Penf.	=	Penfro	:	Pembrokeshire
Tfn.	=	Trefaldwyn	:	Montgomeryshire

A

Abaty Cwm-hir, *pl.*, *p.*, Maesd.	32/0571
Aber (**Abergwyngregyn**), *pl.*, *p.*, Caern.	23/6572
Aberaeron, *pl.*, *t.*, Cer.	22/4562
Aberafan, *t.*, Port Talbot, Morg.	21/7590
Aberangell, *p.*, Mallwyd, Meir.	23/8410
Aberaman, *p.*, Aberdâr, Morg.	32/0101
Aberarad, *p.*, Castellnewydd Emlyn, Caerf.	22/3140
Aber-arth, *p.*, Llanddewi Aber-arth, Cer.	22/4763
Aber-banc, *p.*, Orllwyn Teifi, Cer.	22/3541
Aberbargod, *p.*, Bedwellte, Myn.	31/1599
Aberbechan, *plas*, Betws Cedewain, Tfn.	32/1394
Aber-big, *p.*, Llanhiledd, Myn.	32/2101
Aberbrân, *ardal*, Y Trallwng, Brych.	22/9829
Aberbythych, gw. **Llanfihangel Aberbythych.**	
Abercannaid, *p.*, Merthyr Tudful, Morg.	32/0503
Aber-carn, *pl.*, *p.*, Myn.	31/2194
Abercastell, *p.*, Mathri, Penf.	12/8533
Abercegyr, *p.*, Darowen, Tfn.	23/8001
Aberconwy, *aber*, *abaty*, Conwy, Caern.	23/7877
Aber-craf, *p.*, Ystradgynlais, Brych.	22/8212
Abercregan, *p.*, Glyncorrwg, Morg.	21/8496
Aber-cuch, *p.*, Maenordeifi, Penf.	22/2441
Abercwmboi, *p.*, Aberdâr, Morg.	31/0399
Abercynffig, *p.*, Castellnewydd Uchaf, Morg.	21/8983
Abercynon, *p.*, Llanwynno, Morg.	31/0894
Abercywarch, *ardal*, Llanymawddwy, Meir.	23/8615
Abercywyn, gw. **Llanfihangel Abercywyn.**	
Aberchwiler (**Aberwheeler**), *pl.*, *ardal*, Dinb.	33/1070
Aberdâr, *pl.*, *t.*, Morg.	32/0002
Aberdaron, *pl.*, *p.*, Caern.	23/1726
Aberdaugleddyf (**Milford Haven**), *aber*, Penf.	12/8404
Aberdulais, *p.*, Tonna, Morg.	21/7799
Aberdyar, *p.*, *cymer*, Llanybydder, Caerf.	22/5244
Aberdyfi, *t.*, Towyn, Meir.	22/6195
Aberddawan (**Aberthaw**), *p.*, Sain Tathan/ Pen-marc, Morg.	31/0366
Aberedw, *pl.*, *p.*, Maesd.	32/0747
Abereiddi, *p.*, *b.*, Llanrhian, Penf.	12/7931
Aber-erch (**Y Berch**), *p.*, Llannor, Caern.	23/3936
Aber-fan, *p.*, Merthyr Tudful, Morg.	32/0600
Aberfforest, *aber*, *cil.*, Dinas/Trefdraeth, Penf.	22/0239
Aberffro (**Aberffraw**), *pl.*, *p.*, Môn	23/3568

1

Aber-ffrwd, *p.*, Llanbadarn-y-Creuddyn Uchaf, Cer. 22/6878
Abergarw, *p.*, Llansanffraid-ar-Ogwr, Morg. 21/9184
Abergavenny, gw. **Fenni, Y.**
Abergeirw, *aber, ardal*, Llanfachreth, Meir. 23/7629
Abergele, *pl., t.*, Dinb. 23/9477
Abergiâr, *ardal*, Llanllwni, Caerf. 22/5041
Aberglaslyn, *pont, plas*, Beddgelert, Caern. 23/5946
Abergorci, *p.*, Rhondda, Morg. 21/9597
Abergorlech, *p.*, Llanybydder, Caerf. 22/5833
Abergwaun (Fishguard), *pl., t.*, Penf. 12/9537
Abergwesyn, *p.*, Llanfihangel Abergwesyn, Brych. 22/8552
Abergwidol, *plas*, Darowen, Tfn. 23/7902
Abergwili, *pl., p.*, Caerf. 22/4321
Abergwynfi, *p.*, Glyncorrwg, Morg. 21/8996
Abergynolwyn, *p.*, Llanfihangel-y-Pennant, Meir. 23/6706
Aberhafesb, *pl., p.*, Tfn. 23/0792
Aberhigian, *cil.*, Trefdraeth, Penf. 22/0339
Aberhonddu (Brecon), *bd.*, Brych. 32/0428
Aberhosan, *p.*, Penegoes, Tfn. 22/8097
Aberkenfig, gw. **Abercynffig.**
Aberllefenni, *p.*, Tal-y-llyn, Meir. 23/7709
Aberllolwyn, *plas*, Llanychaearn, Cer. 22/5877
Aberllynfi, *pl., p.*, Brych. 32/1737
Aber-mad, *plas, ysgol*, Llanychaearn/Llanilar, Cer. 22/6076
Abermagwr, *p.*, Llanfihangel-y-Creuddyn Isaf, Cer. 22/6673
Abermarlais, *plas*, Llansadwrn, Caerf. 22/6929
Abermenai, *trwyn*, Niwbwrch, Môn. 23/4461
Abermeurig, *ardal*, Llanfihangel Ystrad/Gartheli, 22/5656
Cer.
Aber-miwl, *p.*, Llamyrewig, Tfn. 32/1694
Abermo (Barmouth), *pl., t.*, Meir. 23/6115
Abermor-ddu, *p.*, Yr Hob/Llanfynydd, Ffl. 33/3056
Aber-nant, *pl., p.*, Caerf. 22/3323
        p., Aberdâr, Morg. 32/0103
        pwll glo, Llan-giwg, Morg. 22/7008
Aberogwr (Ogmore-by-sea), *p.*, Saint-y-brid, Morg. 21/8674
Aberpennar (Mountain Ash), *t.*, Llanwynno, 31/0499
Morg.
Aberpensidan, *cil.*, Dinas, Penf. 22/0040
Aberpergwm, *plas*, Nedd Uchaf, Morg. 22/8606
Aber-porth, *pl., p.*, Cer. 22/2651
Aberriw (Berriew), *pl., p.*, Tfn. 33/1800
Aber-soch, *p.*, Llanengan, Caern. 23/3128
Abersychan, *pl., t.*, Myn. 32/2603
Abertawe, *bd. sirol, pl.*, Morg. 21/6592
Aberteifi, *pl., bd.*, Cer. 22/1746
Aberthaw, gw. **Aberddawan.**

Aberthin, *p.*, Llanfleiddan, Morg.	31/0075
Abertridwr, *p.*, Eglwysilan, Morg.	31/1289
Abertyleri (**Aberteleri**), *pl.*, *t.*, Myn.	32/2104
Abertyswg, *p.*, Rhymni, Myn.	32/1305
Aberwheeler, gw. **Aberchwiler.**	
Aberysgir, *pl.*, *cymer*, Brych.	32/0029
Aberystruth, *pl.*, Myn.	32/2009
Aberystwyth, *bd.*, *pl.*, Cer.	22/5881
Acre-fair, *p.*, Cefn, Dinb.	33/2743
Acton, Wrecsam, gw. **Gwaunyterfyn.**	
Achddu, *p.*, Burry Port, Caerf.	22/4401
Adpar, gw. **Atpar.**	
Adwy'r-clawdd, *man*, Bers, Dinb.	33/2951
Afon*Adda, Bangor, Caern.	23/5771
Aeron, Cer.	22/5257
Afan, Morg.	21/8295
Angell, Mallwyd, Meir./Caereinion Fechan, Tfn.	23/8111
Alaw, Môn.	23/3483
Aled, Dinb.	23/9260–9567
Alun, Dinb./Ffl.	33/1950–3756
Tyddewi, Penf.	12/7526
Alwen, Dinb.	23/9056—33/0343
Aman, Aberdâr, Morg.	22/9900
Caerf./Morg.	22/7415–6512
Annell (**Ariannell**), Caerf.	22/6537
Aran, gw. **Afon Cymaron.**	
Arban, Llanwrthwl, Brych.	22/8463
Arrow, gw. **Afon Arwy.**	
Artro, Llanbedr/Llanfair, Meir.	23/6128
Arth, Llanddewi Aber-arth/Llanbadarn Trefeglwys, Cer.	22/4962
Arwy, Maesd.	32/2350
Banw, Tfn.	23/9612—33/1207
Barlwyd, Ffestiniog, Meir.	23/7047
Bechan, Tfn.	32/0798–1493
Bedw, Penbryn/Llangrannog/Llandysiliogogo, Cer.	22/3550
Berwyn, Caron-is-clawdd, Cer.	22/7058
Bidno, Llangurig, Tfn.	22/8683
Biga, Llanidloes/Trefeglwys, Tfn.	22/8589
Braint, Môn.	23/4567
Brân, Llandingad/Llanfair-ar-y-bryn, Caerf.	22/7837
Myddfai/Llangadog, Caerf.	22/7428
Llanbadarn Trefeglwys/Cilcennin, Cer.	22/5461

* Gweler hefyd yr enwau ar ôl **Nant.**
For names of other rivers and streams, see under **Nant.**

Afon Brefi, Llanddewibrefi, Cer.	22/6655
Brenig, Cerrigydrudion/Nantglyn, Dinb.	23/9754
Brennig, Caron-is-clawdd, Cer.	22/6759
Brochan, Llangurig, Tfn.	22/9282
Cachor (Crychddwr), Llanllyfni, Caern.	23/4751
Cadnant, Caern.	23/4963
Dinb.	23/8654
Môn.	23/5675
Cain, Llanfechain/Llanfyllin, Tfn.	33/1618
Trawsfynydd, Meir.	23/7331
Camarch, Brych.	22/9251
Camddwr, Caron-is-clawdd/Lledrod, Cer.	22/6764
Ceulan-a-Maesmor/Trefeurig, Cer.	22/7487
Llanddewibrefi/Caron-uwch-clawdd, Cer.	22/7755
Camlad, Tfn.	32/2399
Camlan, Llanddwywe-uwch-y-graig/ Llanelltud, Meir.	23/7024
Camlo, Nantmel, Maesd.	32/0468
Carno, Carno/Llanwnnog, Tfn.	32/0193
Carrog, Llanwnda/Llandwrog, Caern.	23/4657
Cer.	22/5772
Penegoes, Tfn.	22/8097
Caseg, Llanfrothen, Meir.	23/6041
Castell, Cwmrheidol, Cer.	22/7781
Cedig, Llangynog/Llanwddyn, Tfn.	23/9924
Cefni, Môn.	23/4377–4471
Cegidog, Treuddyn/Llanfynydd, Ffl.	33/2556
Cegin, Bangor/Pentir/Llandygái, Caern.	23/5767
Cegyr, Darowen, Tfn.	23/8001
Ceidiog, Llandrillo, Meir.	33/0234
Ceidrych, Llangadog, Caerf.	22/6925
Ceint, Môn.	23/5076
Ceirig, Llanwrin, Tfn.	23/8107
Ceiriog, Dinb.	33/1533–2438
Ceirw, Dinb.	23/9447
Celynnog, Brithdir ac Islaw'r-dref, Meir.	23/8020
Cennen, Llandeilo Fawr/Llandybïe, Caerf.	22/6418
Cerdin, Llandysul, Cer.	22/3846
Ceri, Cer.	22/3246
Cerist, Trefeglwys/Carno/Llandinam, Tfn.	22/9890
Mallwyd, Meir.	23/8316
Cerniog, Carno, Tfn.	22/9495
Ceulan, Ceulan-a-Maesmor, Cer.	22/6990
Cilieni, Llandeilo'r-fân/Is-clydach, Brych.	22/9134–9330

4

Afon Claerddu, Cer.	22/8067
Claerwen, Cer./Maesd.	22/8267
Clarach, Cer.	22/5983
Cledan, Carno, Tfn.	22/9396
Llansanffraid, Cer.	22/5365
Cledwyn, Dinb.	23/8964
Cleddy Ddu, Penf./Caerf.	22/1632–0112
Wen, Penf.	12/8831–9812
Cletwr, Llandderfel/Llanfor, Meir.	23/9834
Llangynfelyn/Ceulan-a-Maesmor, Cer.	22/6891
Tir Ifan, Dinb.	23/8549
Clown (Clun), Llantrisant, Morg.	31/0482
Clwyd, Dinb.	33/0549–0178
Clydach Isaf, Rhyndwyglydach, Morg.	22/6804
Uchaf, Rhyndwyglydach/Llangiwg, Morg.	22/7006
Bryn-mawr/Llanelli, Brych.	32/2212
Clywedog, Dinb.	33/0257–0962
Meir.	23/7616
Tfn.	22/8692–9186
Llanfair Clydogau, Cer.	22/6350
Mallwyd/Llanymawddwy, Meir.	23/8915
Colwyn, Betws Garmon/Beddgelert, Caern.	23/5751
Concwest, Llanrhaeadr-yng-Nghinmeirch, Dinb.	33/0359
Conwy, Caern./Dinb./Meir.	23/8449–7973
Corrwg, Glyncorrwg, Morg.	21/8899
Cothi, Caerf.	22/7049–5326
Crafnant, Caern.	23/7662
Crai, Crai, Brych.	22/8924
Crawcwellt, Meir.	23/6929
Crawnon, Llanddeti/Llangynidr, Brych.	32/1218
Crewi, Darowen/Penegoes, Tfn.	23/7800
Crychan, Llanfair-ar-y-bryn, Caerf.	22/8138
Crychddwr, gw. **Afon Cachor.**	
Cryddan, Castell-nedd, Morg.	21/7595
Cuch, Caerf./Penf.	22/2539
Cwmllechen, Llanaber, Meir.	23/6720
Cwm-ochr, Brithdir ac Islaw'r-dref, Meir.	23/8221
Cwmystradllyn, Dolbenmaen, Caern.	23/5342
Cyllyfelin, Aberdaron, Caern.	23/1728
Cymaron, Llanddewi Ystradenni/Llanfihangel Rhydieithon, Maesd.	32/1367
Cymerig, Llanfor/Llangywer, Meir.	23/9333
Cynfal, Ffestiniog, Meir.	23/7241
Cynin, Caerf.	22/2622–2719

Afon Cynon, Brych./Morg.		32/0101
Cynrig, Cantref/Llanfrynach, Brych.		32/0626
Cywarch, Llanymawddwy, Meir.		23/8517
Cywyn, Caerf.		22/3116
Chwefri, Brych.		22/9953
Chwiler (Wheeler), Dinb./Ffl.		33/0869
Dâr, Aberdâr, Morg.		22/9802
Daron, Aberdaron, Caern.		23/1927
Desach, Clynnog, Caern.		23/4449
Deunant, Llansannan, Dinb.		23/9665
Dewi Fawr, Meidrim/Sanclêr, Caerf.		22/2819
Digedi, Llanigon/Y Gelli, Brych.		32/2040
Diwlais, Llandeilo Fawr/Talyllychau, Caerf.		22/6529
Diwlas, Llangybi/Llanfair Clydogau, Cer.		22/6153
Doethie, Llanddewibrefi, Cer.		22/7650
Dringarth, gw. **Afon Tringarth.**		
Drywi, Llannarth/Llanina, Cer.		22/4359
Dugoed, Mallwyd, Meir./Cemais, Tfn.		23/9112
Dulais, Llandeilo Tal-y-bont/Mawr, Morg.		22/6204
Dulais/Blaenhonddan, Morg.	22/8007–7803	
Dulas, Dinb.		23/9075
Llanddulas/Penbuallt, Brych.		22/8943
Llanfynydd/Llangathen, Caerf.		22/5624
Llanwrthwl, Brych.		22/9563
Maesd./Tfn.	22/9577–9483	
Penegoes/Uwchygarreg, Tfn.	22/8195–7699	
Duweunydd, Dolwyddelan, Caern.		23/6852
Dwyfach, Llanystumdwy/Dolbenmaen, Caern.		23/4742
Dwyfor, Llanystumdwy/Dolbenmaen, Caern.		23/4940
Dwyryd, Meir.		23/6439
Dyar, Llanybydder, Caerf.		22/5443
Dyfi, Meir./Tfn.	23/8916—22/6696	
Dyfrdwy, Dinb./Meir.	23/8227—33/4057	
Dylif, Beddgelert, Caern./Llanfrothen, Meir.		23/6144
Dylo, gw. **Afon Tylo.**		
Dysynni, Meir.		23/5903
Ddawan (Thaw), Morg.		31/0270
Ebwy, Myn.	32/2100—31/3184	
Fawr, Myn.		32/1902
Fach, Myn.		32/2104
Eden, Llanddwywe-uwch-y-graig/		23/7226
Trawsfynydd, Meir.		
Edw, Maesd.	32/1358–1149	
Efyrnwy (Vyrnwy), Tfn.	33/0414–1111	
Egel, Llan-giwg, Morg.		22/7207
Eglwyseg, Llangollen/Llandysilio, Dinb.		33/2045
Eidda, Eidda, Caern.		23/8148

Afon Einon, Ysgubor-y-coed, Cer.		22/7094
Elái, Morg.	31/0285—31/1575	
Elan, Cer./Tfn./Maesd./Brych.		22/8374–9466
Eleri, Cer.		22/6589–6191
Elwy, Dinb.		33/0071
Ely, gw. **Afon Elái.**		
Erch, Llannor/Llanystumdwy, Caern.		23/3937
Erwent, Llanuwchllyn, Meir.		23/8134
Ewenni, Morg.		21/9177
Fenni, Llanboidy/Llangynin/Llanwinio, Caerf.		22/2319
y Foel, Penmachno, Caern.		23/7646
Foryd, Llanwnda/Llandwrog, Caern.		23/4457
Frogan, Llanfechain, Tfn.		33/1919
Fyrnwy, gw. **Afon Efyrnwy.**		
Fflur, Caron-uwch-clawdd, Cer.		22/7263
Ffraw, Aberffro/Llangadwaladr, Môn.		23/3669
Ffrydlan, Llanwrin, Tfn.		23/7703
Ffrydlas, Llanllechid, Caern.		23/6367
Gafenni, Y Fenni/Llandeilo Bertholau, Myn.		32/3015
Gain, gw. **Afon Cain.**		
Gam, Llanbryn-mair/Llanerfyl, Tfn.		23/9504
Garno, gw. **Afon Carno.**		
Garw, Betws/Llangeinwyr, Morg.		21/9089
Geirch, Buan/Llannor/Llanbedrog, Caern.		23/3136
Geirw, Llanfachreth, Meir.		23/7728
Gele, Abergele, Dinb.		23/9678
Glasgwm, Penmachno, Caern.		23/7649
Glaslyn, Caern./Meir.		23/5941
Gleserch, Llanwrin, Tfn.		23/7706
Goch, Aber, Caern.		23/6769
Llandyfrydog/Penrhosllugwy, Môn.		23/4586
Llangynog, Tfn.		33/0124
Goedol, Ffestiniog, Meir.		23/6844
Gorddinan, Dolwyddelan, Caern.		23/7050
Gorsen, Beddgelert, Caern.		23/6150
Grannell, Cer.		22/5150
Gronw, Llanboidy/Hendy-gwyn, Caerf.		22/2221
Grwyne Fawr, Brych.	32/2131–2720	
Fechan, Llanbedr Ystrad Yw, Brych.		32/2226
Gwaun, Penf.		22/0034
Gwendraeth Fach, Caerf.		22/5316–4211
Fawr, Caerf.		22/5312–4507
Gwenfro, Wrecsam/Bers, Dinb.		33/3050
Gwenlais, Cil-y-cwm, Caerf.		22/7342
Gwesyn, Llanfihangel Abergwesyn, Brych.		22/8554
Gwili, Abergwili/Llanpumsaint, Caerf.	22/4328–4222	
Llan-non/Llanedi, Caerf.		22/5707

7

Afon Gwy (Wye) 22/8087—31/5497
  Gwydderig, Caerf./Brych. 22/8233
  Gwyrfai, Caern. 23/5753–4659
  Hafesb, Llangynyw, Tfn. 33/1109
  Hafren (Severn). 22/8388—31/5792
  Haffes, Glyntawe/Traean-glas/ 22/8317
    Ystradgynlais Uchaf, Brych.
  Hawen, Llangrannog, Cer. 22/3353
  Helygi (Luggy Brook), Aberriw/Brithdir, Tfn. 33/1703
  Hengwm, Trefeurig, Cer./Uwchygarreg, Tfn. 22/7989
  Hepste, Brych. 22/9612
  Hesbin, Llanfair Dyffryn Clwyd, Dinb. 33/1353
  Hesgyn, Llanfor, Meir. 23/8841
  Honddu, Brych. 22/9942—32/0429
    Brych./Crucornau Fawr, Myn. 32/2434–2927
  Horon, Caern. 23/2832
  Hydfer, Traean-glas, Brych. 22/8325
  Hyddgen, Uwchygarreg, Tfn. 22/7890
  Hyrdd, Llansannan, Dinb. 23/9461
  Iaen, Llanbryn-mair, Tfn. 23/9101
  Ieithon, Tfn./Maesd. 32/1084–0663
  Irfon, Brych. 22/8361–9649
  Iwrch, Llanrhaeadr-ym-Mochnant/Llanarmon 33/1227
    Mynydd Mawr, Dinb.
    Llanrwst, Dinb. 23/8354
  Loughor, gw. **Afon Llwchwr.**
  Llafar, Llanllechid, Caern. 23/6565
    Llanycil/Llanuwchllyn, Meir. 23/8833
    Trawsfynydd, Meir. 23/7337
  Lledr, Dolwyddelan, Caern. 23/7452
  Llefenni, Tal-y-llyn, Meir. 23/7610
  Llia, Senni/Ystradfellte, Brych. 22/9216
  Llifon, Clynnog/Llandwrog, Caern. 23/4554
  Lliw, Llandeilo Tal-y-bont/Llangyfelach, 21/5999
    Morg.
    Llanuwchllyn, Meir. 23/8331
  Llugwy, Caern. 23/7059
    Penrhosllugwy/Llaneugrad, Môn. 23/4784
  Llugwy (Lugg), Maesd. 32/2170–3364
  Llwchwr (Loughor), Caerf./Morg. 22/6617–6007
  Llyfnant, Isygarreg, Tfn./Ysgubor-y-coed, Cer. 22/7197
  Llyfni, Caern. 23/4852
  Llynfell, Cwarter Bach, Caerf. 22/7515
  Llynfi, Brych. 32/1227–1535
    Morg. 21/8793–8983
  Machno, Penmachno, Caern. 23/7849
  Machowy, Maesd. 32/1545

Afon Maesgwm, Llanfrothen, Meir.		23/6344
Marchlyn, Llandygái, Caern.		23/6063
Marlais, Llanddewi/Llanbedr Felffre, Penf.		22/1415
Llanybydder/Llansawel, Caerf.		22/6137
Marteg, Saint Harmon/Abaty Cwm-hir, Maesd.		22/9975
Mawddach, Meir.		23/7629–6416
Meilwch, Llangadog, Caerf.		22/7122
Melindwr, Melindwr, Cer.		22/6781
Melinddwr, Llanybydder/Llansawel, Caerf.		22/5936
Meloch, Llandderfel/Llanfor, Meir.		23/9638
Mellte, Ystradfellte, Brych.		22/9212
Menai, *culfor,* Môn/Caern.		23/5167
Merddwr, Pentrefoelas, Dinb.		23/8851
Miwl (Mule), Ceri, Tfn.		32/1185–1790
Morlais, Llan-non/Llangennech, Caerf.		22/5406
Morynion, Dinb./Meir.		33/1246
Myddyfi, Llandeilo/Llangathen, Caerf.		22/6025
Mynach, Cwmrheidol/Llanfihangel-y-		22/7576
Creuddyn Uchaf, Cer.		
Llanfor, Meir.		23/9041
Mynwy (Monnow), Myn.		32/3524–4816
Nedd (Neath), Brych./Morg.		22/9111—21/7293
Nug, Pentrefoelas, Dinb.		23/8953
Nyfer (Nevern), Penf.		22/1436–0539
Ogmore, gw. **Ogwr.**		
Ogwen, Caern.		23/6069
Ogwr Fawr, Morg.		21/9394–8776
Fach, Morg.		21/9788–9586
Pergwm, Nedd Uchaf, Morg.		22/8606
Peris, Llansanffraid/Llanrhystud Anhuniog,		22/5467
Cer.		
Prysor, Trawsfynydd, Meir.		23/7639
Pyrddin, Morg./Brych.		22/8809
Pysgotwr Fach, Llanddewibrefi, Cer./		22/7250
Cil-y-cwm, Caerf.		
Fawr, Llanddewibrefi, Cer./		22/7351
Cil-y-cwm, Caerf.		
Rhaeadr, Llanrhaeadr-ym-Mochnant,		33/1027
Tfn. a Dinb.		
Rheidol, Cer.		22/7987–6380
Rhiangoll, Talgarth/Llanfihangel Cwm Du,		32/1825
Brych.		
Rhiw, Llanfair Caereinion/		33/0200–1202
Llanllugan/Aberriw, Tfn.		/0403–1202
Rhiweirth, Llangynog, Tfn.		33/0328
Rhondda Fach, Morg.		22/9600
Fawr, Morg.		21/9398

9

Afon Rhosan, Penegoes, Tfn. 22/8197
Rhymni, Myn./Morg. 32/1205—31/2282
Rhythallt, Llanrug/Llanddeiniolen, Caern. 23/5463
Saint (Seiont), Llanbeblig/Llanrug, Caern. 23/5163
Saith, Penbryn, Cer. 22/2851
Sannan, Llanfynydd, Caerf. 22/5525
Sawdde, Llanddeusant/Llangadog, 22/8023–7323
  Caerf.
    Fechan, Llanddeusant/Llangadog, 22/7422
    Caerf.
Senni, Senni/Maes-car, Brych. 22/9222
Serw, Tir Ifan, Dinb. 23/8144
Sgethin, Llanddwywe-is-y-graig, Meir. 23/6122
Singrug (Eisingrug), Talsarnau, Meir. 23/6134
Sirhywi, Myn. 32/1505
Soch, Llanengan, Caern. 23/2927
Solfach (Solva), Penf. 12/8327
Stewi, Tirymynach/Trefeurig, Cer. 22/6584
Sulgen, Cenarth, Caerf. 22/3033
Sychan, Abersychan, Myn. 32/2404
Syfynfi (Syfni), Penf. 22/0324
Taf, Penf./Caerf. 22/2033–3109
Taf Fawr, Brych./Morg. 32/0014—31/1677
  Fechan, Brych./Morg. 32/0220–0510
Tanad, Tfn./Dinb. 33/0226–1624
Tarell, Brych. 32/0026
Tarennig, Cwmrheidol, Cer./Llangurig, Tfn. 22/8182
Tawe, Morg./Brych. 22/8321—21/6798
Tefeidiad (Teme), Maesd. 32/1284–1880
Teifi, Cer./Caerf./Penf. 22/7867–1845
Teigl, Ffestiniog, Meir. 23/7243
Teme, gw. **Afon Tefeidiad.**
Terrig, Nercwys/Treuddyn, Ffl. 33/2358
Trannon, Trefeglwys, Tfn. 22/9490
Tren, Llanybydder, Caerf. 22/5242
Tringarth, Ystradfellte, Brych. 22/9416
Troddi, Myn. 32/3715–4810
Trywennydd, Betws Garmon, Caern. 23/5754
Tryweryn, Llanycil/Llanfor, Meir. 23/8440
Twllan, Pentrefoelas, Dinb. 23/9053
Twrch, Brych./Caerf./Morg. 22/7614
  Llan-crwys/Cynwyl Gaeo, Caerf. 22/6445
  Llanuwchllyn, Meir. 23/8828
Twymyn, Llanbryn-mair, Tfn. 22/8795—23/8801
Tyleri, Abertyleri, Myn. 32/2105
Tylo, Llanuwchllyn/Llanycil, Meir. 23/8534
Tyweli, Llanfihangel-ar-arth, Caerf. 22/4238

Afon Tywi (Towy), Caerf.	22/7861–3610
Vyrnwy, gw. **Afon Efyrnwy.**	
Afon-wen, *st.*, *ff.*, Llanystumdwy, Caern.	23/4437
p., Ysgeifiog, Ffl.	33/1371
Afon Wheeler, gw. **Afon Chwiler.**	
Wnion, Brithdir ac Islaw'r-dref/	23/7418
Llanfachreth, Meir.	
Wygyr, Amlwch/Carreg-lefn/Llanbadrig,	23/3891
Môn.	
Wyre, Llanrhystud/Llangwyryfon, Cer.	22/5569
Wysg (Usk), Brych./Caerf./Myn.	22/8123—31/3284
Ysgethin, gw. **Afon Sgethin.**	
Ysgir Fawr, Merthyr Cynog, Brych.	22/9838
Fechan, Merthyr Cynog, Brych.	22/9637
Ystrad, Dinb.	33/0163
Ystwyth, Cer.	22/6375–7472
Yw, Llanbedr Ystrad Yw, Brych.	32/2422
Allington, gw. **Trefalun.**	
Allt* Cunedda, *bryn*, Cydweli, Caerf.	22/4108
Alltfadog, *ff.*, Parsel Canol, Cer.	22/6682
Allt Fawr, *m.*, Ffestiniog, Meir.	23/6847
Allt Gethin, Yr, gw. **Ralltgethin.**	
Allt-mawr, *pl.*, Brych.	32/0646
Allt Melyd (Meliden), *p.*, Prestatyn, Ffl.	33/0680
Allt Tairffynnon, *m.*, Llanrhaeadr-ym-Mochnant,	33/1423
Dinb.	
Alltwalis, *p.*, Llanfihangel-ar-arth, Caerf.	22/4431
Allt-wen, (Yr), *p.*, Cilybebyll, Morg.	22/7203
Alltyblaca, *p.*, Llanwenog, Cer.	22/5245
Alltychám, *ardal*, Llan-giwg, Morg.	22/7204
Allt y Genlli, *bryn*, Llanwnnog, Tfn.	22/9894
Allt-y-grug, *ardal*, *m.*, Llan-giwg, Morg.	22/7507
Allt y Main, *m.*, Meifod, Tfn.	33/1615
Alltyrodyn, *plas*, Llandysul, Cer.	22/4444
Ambleston, gw. **Treamlod.**	
Amlwch, *pl.*, *t.*, Môn.	23/4492
Ammanford, gw. **Rhydaman.**	
Amroth, *pl.*, *p.*, Penf.	22/1607
Aran, Yr, *m.*, Betws Garmon/Beddgelert, Caern.	23/6051
m., Llandrillo, Meir.	33/0332
Aran Benllyn, *m.*, Llanuwchllyn, Meir.	23/8624
Aran Fawddwy, *m.*, Llanymawddwy/Llanuwchllyn/	23/8521
Brithdir ac Islaw'r-dref, Meir.	
Arberth (Narberth), *pl.*, *t.*, Penf.	22/1014
Arddu, Yr, *m.*, Dolwyddelan, Caern.	23/6750

* Gweler hefyd yr enwau ar ôl **Gallt.**
See also under **Gallt.**

11

Arennig Fach, *m.*, Llanycil, Meir.	23/8241
Fawr, *m.*, Llanycil, Meir.	23/8237
Argoed, *p.*, Bedwellte, Myn.	32/1700
Arthog, *p.*, Llangelynnin, Meir.	23/6414
As Fach, Yr, (Nash), *pl.*, *plas*, *hyn.*, Morg.	21/9672
As Fawr, Yr, (Monknash), *pl.*, *p.*, Morg.	21/9270
Asheston, gw., **Trefaser.**	
Atpar (Adpar) (Trerhedyn), *p.*, Llandyfrïog, Cer.	22/3040

B

Babel, *ardal*, Llanfair-ar-y-bryn, Caerf.	22/8235
Babell, *p.*, Ysgeifiog, Ffl.	33/1573
Bachawy (Bach Howey), *n.*, Brych.	32/1445
Bachegraig, *plas*, Tremeirchion, Ffl.	33/0771
Bacheiddion, *ff.*, Penegoes, Tfn.	22/8298
Bachelltre, *ff.*, Yr Ystog, Tfn.	32/2492
Bach-wen, *ff.*, *hyn.*, Clynnog, Caern.	23/4149
Bachymbyd, *plas*, Llanynys, Dinb.	33/0961
Bae Colwyn (Colwyn Bay), *bd.*, *b.*, Llandrillo-yn-Rhos, Dinb.	23/8579
Bagillt, *p.*, Fflint, Ffl.	33/2275
Baglan, *pl.*, *p.*, Morg.	21/7592
Bala, Y, *pl.*, *t.*, Meir.	23/9236
Bala Lake, gw. **Llyn Tegid**	
Bâl Bach, *m.*, Crucornau Fawr, Myn.	32/2726
Mawr, *m.*, Crucornau Fawr, Myn.	32/2627
Banc Cwmhelen, *m.*, Betws, Caerf.	22/6811
Banc Du, *bryn*, Morfil, Penf.	22/0530
bryn, Nyfer, Penf.	22/0734
Bancffosfelen, *p.*, Pontyberem, Caerf.	22/4812
Bancycapel, *p.*, Llandyfaelog, Caerf.	22/4315
Bancyfelin, *p.*, Sanclêr, Caerf.	22/3218
Banc y Groes, *m.*, Llanidloes, Tfn.	22/8888
Bancymansel, *ardal*, Llanddarog/Llanarthne, Caerf.	22/5214
Bangor, *bd.*, *pl.*, Caern.	23/5872
Bangor Is-coed (Bangor-on-Dee), *pl.*, *p.*, Ffl.	33/3845
Bangor Teifi, *ardal*, *eg.*, Orllwyn Teifi, Cer.	22/3740
Bannau Brycheiniog (Brecon Beacons), *m.*, Brych.	23/0121
Bannau Sir Gaer, *clog.*, Llanddeusant, Caerf.	22/8021
Banwen Pyrddin, *ardal*, Nedd Uchaf, Morg.	22/8509
Barclodiad y Gawres, *hyn.*, Aberffro, Môn.	23/3270
Bardsey Island, gw. **Ynys Enlli.**	
Bargod, *t.*, Gelli-gaer, Morg.	31/1499

Barmouth, gw. **Abermo.**	
Barri, Y, *pl.*, *bd.*, Morg.	31/1068
Basaleg, *p.*, Graig, Myn.	31/2786
Basingwerk, gw. **Dinas Basing.**	
Batel, Y, (Battle), *pl.*, *p.*, Brych.	32/0031
Bathafarn, *plas*, Llanbedr Dyffryn Clwyd, Dinb.	33/1457
Bayvil, gw. **Beifil, Y.**	
Beaufort, gw. **Cendl.**	
Beaumaris, gw. **Biwmares.**	
Beaupré, gw. **Bewpyr, Y.**	
Bedlinog, *p.*, Gelli-gaer, Morg.	32/0901
Bedwas, *pl.*, *p.*, Myn.	31/1789
Bedwellte, *pl.*, *p.*, Myn.	32/1700
Beddau, *p.*, Eglwysilan, Morg.	31/1487
p., Llantrisant, Morg.	31/0585
Beddau Gwŷr Ardudwy, *hyn.*, Ffestiniog, Meir.	23/7142
Beddau'r Cewri, *hyn.*, Llanfihangel-yng-Ngwynfa, Tfn.	33/0216
Beddau'r Derwyddon, *hyn.*, Llandeilo Fawr, Caerf.	22/6718
Beddgelert, *pl.*, *p.*, Caern.	23/5948
Bedd Porus, *hyn.*, Trawsfynydd, Meir.	23/7331
Bedd Taliesin, *hyn.*, Ceulan-a-Maesmor, Cer.	22/6791
Bedd y Cawr, *hyn.*, Cefn, Dinb.	33/0172
Begeli (Begelly), *pl.*, *p.*, Penf.	22/1107
Beguildy, gw. **Bugeildy.**	
Begwns, *hyn.*, Machen Uchaf, Myn.	31/2289
Begwns, The, *m.*, Llanddewi Fach, Maesd.	32/1544
Beifil, Y, *pl.*, Penf.	22/1041
Belan, Y, *ardal*, Y Trallwng, Tfn.	33/2004
Benllech, *p.*, Llanfair Mathafarn Eithaf, Môn.	23/5182
Bennar, *m.*, Dolwyddelan, Caern.	23/7350
ff., Penmachno, Caern.	23/7951
Berain, *ff.*, Llanefydd, Dinb.	33/0069
Berriew, gw. **Aberriw.**	
Bers (Bersham), *pl.*, *p.*, Dinb.	33/3049
Berthen-gam, *ardal*, Llanasa, Ffl.	33/1179
Berth-lwyd, *plas*, Llanidloes, Tfn.	22/9684
ardal, Tre-gŵyr, Morg.	22/5696
Berwyn, Y, *m.*, Dinb./Meir./Tfn.	33/1139
Betws, Y, *pl.*, *p.*, Caerf.	22/6311
pl., Myn.	31/2990
Betws Abergele, gw. **Betws-yn-Rhos.**	
Betws Bledrws, *ardal*, *eg.*, Llangybi, Cer.	22/5852
Betws Cedewain, *pl.*, *p.*, Tfn.	32/1296
Betws Diserth, *pl.*, Maesd.	23/1057
Betws Fawr, *ff.*, Llanystumdwy, Caern.	23/4639
Betws Garmon, *pl.*, *p.*, Caern.	23/5357

Betws Gwerful Goch, *pl., p.,* Meir.   33/0346
Betws Ifan, *pl., ardal,* Cer.   22/3047
Betws Leucu, *pl., p.,* Cer.   22/6058
Betws Newydd, *p.,* Llan-arth Fawr, Myn.   32/3505
Betws (Tir Iarll), *pl., p.,* Morg.   21/8986
Betws-y-coed, *pl., p.,* Caern.   23/7956
Betws-yn-Rhos, *pl., p.,* Dinb.   23/9073
Bethania, *p.,* Ffestiniog, Meir.   23/7045
    ardal, Llanbadarn Trefeglwys, Cer.   22/5763
Bethel, *p.,* Llanddeiniolen, Caern.   23/5265
Bethesda, *pl., p.,* Caern.   23/6266
    p., Llanhuadain, Penf.   22/0917
Bethlehem, *p.,* Llangadog, Caerf.   22/6825
Beulah, *p.,* Betws Ifan, Cer.   22/2946
    p., Treflys, Brych.   22/9251
Bewpyr, Y, (Bewper, Beaupré), *plas,* Saint Hilari,   31/0073
    Morg.
Bishopston, gw. **Llandeilo Ferwallt.**
Bishton (Bistwn), gw. **Trefesgob.**
Biwmares (Beaumaris), *bd., pl.,* Môn.   23/6076
Blackmill, gw. **Melin Ifan Ddu.**
Black Mountain, gw. **Mynydd Du.**
Blackwood, gw. **Coed-duon.**
Blaenafan, *ardal,* Glyncorrwg, Morg.   21/9096
Blaenafon, *pl., t.,* Myn.   32/2509
Blaenaman, *ardal,* Aberdâr, Morg.   21/9899
Blaenannerch, *p.,* Aber-porth/Llangoedmor, Cer.   22/2449
Blaenau (Blaina), *t.,* Aberystruth, Myn.   32/1908
Blaenau Ffestiniog, *t.,* Ffestiniog, Meir.   23/7045
Blaenau Gwent, *ardal,* Abertyleri, Myn.   32/2004
Blaencannaid, *ff.,* Merthyr Tudful, Morg.   32/0304
Blaencarno, *ff.,* Gelli-gaer, Morg.   32/0908
Blaencelyn, *ardal,* Llangrannog, Cer.   22/3554
Blaencerniog, *ff.,* Carno, Tfn.   22/9494
Blaenclydach, *p.,* Rhondda, Morg.   21/9893
Blaencorrwg, *ardal,* Glyncorrwg, Morg.   22/8800
Blaen-cwm, *p.,* Rhondda, Morg.   21/9298
Blaencwmboi, *ardal,* Aberdâr/Llanwynno, Morg.   31/0299
Blaendulais (Seven Sisters), *p.,* Dulais Uchaf, Morg.   22/8108
Blaengarw, *p.,* Llangeinwyr, Morg.   21/9092
Blaen-gwawr, *ardal,* Aberdâr, Morg.   32/0001
Blaen-gwrach, *pl., p.,* Morg.   22/8605
Blaengwynfi, *p.,* Glyncorrwg, Morg.   21/8996
Blaenhonddan, *pl., ff.,* Morg.   22/7500
Blaenieithon, *ff.,* Ceri, Tfn.   23/1084
Blaenllecha(u), *p.,* Rhondda, Morg.   31/0097
Blaen Nanmor, *ardal,* Beddgelert, Caern.   23/6348

Blaenpennal, *pl.*, *p.*, Cer. 22/6165
Blaen-plwyf, *p.*, Llanychaearn, Cer. 22/5775
Blaen-porth, *p.*, Llandygwydd/Aber-porth, Cer. 22/2648
Blaenrhondda, *p.*, Rhondda, Morg. 22/9200
Blaenrhymni, *ardal*, Gelli-gaer, Morg. 32/1009
Blaen Taf Fechan, *c.*, Modrydd/Cantref, Brych. 32/0120
    ff., Llanfrynach, Brych. 32/0317
Blaen-waun, *ardal*, Llandysiliogogo, Cer. 22/3953
Blaen-y-coed, *p.*, Cynwyl Elfed, Caerf. 22/3427
Blaen-y-cwm, gw. **Blaen-cwm.**
Blaen-y-ffos, *p.*, Castell-llan/Llanfihangel Penbedw, 22/1937
  Penf.
Blaina, gw. **Blaenau.**
Bleddfa(ch), *pl.*, *p.*, Maesd. 32/2068
Bletherston, gw. **Trefelen.**
Blorens (Blorenge), *m.*, Llan-ffwyst Fawr, Myn. 32/2611
Bochrwyd (Boughrood), *pl.*, *eg.*, *ca.*, *plas*, Maesd. 32/1239
Bodafon, *plas.*, *m.*, Penrhosllugwy, Môn. 23/4785
Bodedern, *pl.*, *p.*, Môn. 23/3380
Bodelwyddan, *pl.*, *p.*, *plas*, Ffl. 33/0075
Bodewryd, *eg.*, *plas*, Carreg-lefn, Môn. 23/3990
Bodfach, *plas*, Llanfyllin, Tfn. 33/1320
Bodfari (Botffari), *pl.*, *p.*, Ffl. 33/0970
Bodfean, gw. **Boduan.**
Bodfel, *plas*, Boduan, Caern. 23/3436
Bodferin, *eg.*, Aberdaron, Caern. 23/1731
Bodffordd, gw. **Botffordd.**
Bodidris, *plas*, Llandegla, Dinb. 33/2053
Bodlith, *ff.*, Llansilin, Dinb. 33/2129
Bodlyn, *cronfa ddŵr*, Llanddwywe-is-y-graig, Meir. 23/6424
Bodnant, *plas*, Eglwys-bach, Dinb. 23/8072
Bodorgan, *ardal*, Llangadwaladr, Môn. 23/3870
    plas, Llangadwaladr, Môn. 23/3867
Bodowyr, *ff.*, *melin*, Llanidan, Môn. 23/4668
Bodringallt, *ardal*, Rhondda, Morg. 21/9895
Bodrhyddan, gw. **Botryddan.**
Boduan (*nid* **Bodfean**), *eg.*, *plas*, Buan, Caern. 23/3237
Bodwrda (Bodwrdda), *ff.*, *hyn.*, Aberdaron, Caern. 23/1827
Bodwrog, *pl.*, *ardal*, Môn. 23/4077
Bodylling, *ff.*, Rhiwabon, Dinb. 33/2942
Bodysgallen, *plas*, Llan-rhos, Caern. 23/7979
Bolgoed, *ardal*, Llandeilo Tal-y-bont, Morg. 22/6002
    plas, Llansbyddyd, Brych. 32/0027
    ff., Pendeulwyn, Morg. 31/0479
Boncath, *p.*, Llanfihangel Penbedw/Capel Colman, 22/2038
  Penf.
Bontdolgadfan, *p.*, Llanbryn-mair, Tfn. 23/8800

Bont-ddu, Y, *p.*, Llanaber, Meir.	23/6618
Bont-faen, Y, (Cowbridge), *pl.*, *bd.*, Morg.	21/9974
pl., *ardal*, Penf.	22/0233
Bont-goch (Elerch), *p.*, Ceulan-a-Maesmor, Cer.	22/6886
Bontnewydd, Y, *p.*, Llanwnda/Waunfawr, Caern.	23/4859
ardal, Brithdir ac Islaw'r-dref, Meir.	23/7720
Bontuchel, *p.*, Llanfwrog, Dinb.	33/0857
Bonvilston, gw. **Tresimwn.**	
Bôn-y-maen, *p.*, Abertawe, Morg.	21/6795
Borth, Y, *pl.*, *p.*, Cer.	22/6089
Borth-y-gest, *p.*, Ynyscynhaearn, Caern.	23/5637
Botffordd, *p.*, Heneglwys, Môn.	23/4276
Botryddan, *plas*, Diserth/Rhuddlan, Ffl.	33/0478
Botwnnog, *pl.*, *p.*, Caern.	23/2631
Boughrood, gw. **Bochrwyd.**	
Boverton, gw. **Trebefered.**	
Braenog (*nid* **Brynnog**), *plas*, Cilcennin/Trefilan, Cer.	22/5357
Braich-du, *ff.*, Llandderfel, Meir.	33/0141
Braichmelyn, *ardal*, Bethesda, Caern.	23/6366
Braich y Parc, *m.*, Llanfrothen, Meir.	23/6344
Braich y Pwll, *pen.*, Aberdaron, Caern.	23/1325
Braich yr Hwch, *m.*, Llanuwchllyn, Meir.	23/8723
Branas-isaf, *ff.*, Llandrillo, Meir.	33/0238
-uchaf, *ff.*, Llandrillo, Meir.	33/0137
Brawdy, gw. **Breudeth.**	
Brecon, gw. **Aberhonddu.**	
Brecon Beacons, gw. **Bannau Brycheiniog.**	
Brechfa, *p.*, Llanegwad/Llanfihangel Rhos-y-corn, Caerf.	22/5230
Breiddin, *m.*, Crugion, Tfn.	33/2914
Breudeth (Brawdy), *pl.*, Penf.	12/8525
Bridell, *pl.*, *p.*, Penf.	22/1742
Bridgend, gw. **Pen-y-bont ar Ogwr.**	
Brimaston, gw. **Treowman.**	
Briton Ferry, gw. **Llansawel.**	
Britwn, Y, (Burton), *p.*, *pont*, Pen-marc, Morg.	21/0367
Brithdir, *ardal*, Brithdir ac Islaw'r-dref, Meir.	23/7718
p., Gelli-gaer, Morg.	32/1402
pl., *plas*, Tfn.	33/1902
Brithdir ac Islaw'r-dref, *pl.*, Meir.	23/7717
Broad Oak, gw. **Derwen-fawr.**	
Brogynin, *ff.*, Trefeurig, Cer.	22/6684
Bronclydwr, *ff.*, Llangelynnin, Meir.	23/5704
Brongest, *p.*, Troed-yr-aur, Cer.	22/3245
Bron-gwyn, *pl.*, Cer.	22/2843
Broniarth, *plas*, Cegidfa, Tfn.	33/2013

Bronllys (**Brwynllys**), *pl.*, *p.*, Brych.	32/1435
Bronnant, *p.*, Lledrod Isaf, Cer.	22/6467
Bronwydd (**Arms**), *p.*, Llannewydd, Caerf.	22/4123
Brychdwn (**Broughton**), *p.*, Y Wig, Morg.	21/9270
Brymbo, *pl.*, *p.*, Dinb.	33/2953
Bryn, *p.*, Llanelli, Caerf.	22/5400
p., Port Talbot, Morg.	21/8192
Brynaman, *p.*, Llandeilo Fawr/Cwarter Bach, Caerf.	22/7114
Bryn Amlwg, *m.*, Llanbryn-mair, Tfn.	22/9197
Brynbeddau, *p.*, Llandybïe, Caerf.	22/5813
Brynberian, *p.*, Nyfer, Penf.	22/1035
Brynbuga (**Usk**), *t.*, *pl.*, Myn.	32/3700
Bryn Cader Faner, *bryn*, *hyn.*, Llandecwyn, Meir.	23/6435
Bryncastell, *hyn.*, Caerhun, Caern.	23/7871
Bryncelyn, *p.*, Treffynnon, Ffl.	33/1876
Bryn-celli-ddu, *ff.*, *hyn.*, Llanddaniel-fab, Môn.	23/5070
Bryn Cerbyd, *m.*, Tir Ifan, Dinb.	23/8545
Bryncethin, *p.*, Llansanffraid-ar-Ogwr, Morg.	21/9184
Bryncir, *p.*, Dolbenmaen, Caern.	23/4844
Bryn-coch, *p.*, Blaenhonddan, Morg.	21/7499
Bryncroes, *p.*, Botwnnog, Caern.	23/2231
Bryn-crug, *p.*, Towyn, Meir.	23/6003
Bryncunallt, *plas*, Y Waun, Dinb.	33/3037
Bryn Du, *m.*, Aberhafesb/Tregynon, Tfn.	32/0297
m., Llanbryn-mair, Tfn.	22/9097
m., Penbuallt, Brych.	22/9342
Bryn-du, *ff.*, Llanwddyn, Tfn.	33/0118
p., Aberffro, Môn.	23/3472
Brynddu, *plas*, Llanfechell, Môn.	23/3791
Bryneglwys, *pl.*, *p.*, Dinb.	33/1447
Brynengan, *cp.*, Llanystumdwy, Caern.	23/4543
Bryn Euryn, *m.*, Gwytherin, Dinb.	23/8860
Bryneuryn, *hyn.*, Llandrillo-yn-Rhos, Dinb.	23/8379
Brynffanigl, *ff.*, Abergele, Dinb.	23/9074
Brynffordd, *pl.*, *p.*, Ffl.	33/1774
Bryn-glas, *st.*, Towyn, Meir.	23/6203
Bryngwran, *p.*, Llechylched, Môn.	23/3577
Bryngwyn, *ardal*, Llan-arth Fawr, Myn.	32/3909
Bryn-gwyn, *pl.*, *eg.*, Maesd.	32/1849
hyn., *ff.*, Llanidan, Môn.	23/4666
Brynhenllan, *p.*, Dinas, Penf.	22/0139
Brynhoffnant, *p.*, Penbryn, Cer.	22/3351
Bryniau Duon, *m.*, Penmachno, Caern.	23/7846
Brynkinallt, gw. **Bryncunallt.**	
Bryn Llus, *m.*, Corwen, Meir.	33/0841
Bryn Llydan, *m.*, Glyncorrwg, Morg.	22/8701

17

Bryn Llynwynddŵr, *m.*, Glyncorrwg/Rhondda,   21/9099
  Morg.
Brynllywarch, *ff.*, Ceri, Tfn.   33/1589
    ff., Llangynwyd, Morg.   21/8787
Brynmaethlu, *ff.*, Llanfaethlu, Môn.   23/3187
Bryn Mawr, *m.*, Llanwddyn, Tfn.   23/9421
    m., Trefeglwys, Tfn.   22/9193
    m., Tir Ifan, Dinb.   23/8044
Bryn-mawr, *pl.*, *t.*, Brych.   32/1911
    ardal, Botwnnog, Caern.   23/2433
    ff., Llanaelhaearn, Caern.   23/4243
Brynmenyn, *p.*, Ynysawdre, Morg.   21/9084
Brynmyrddin, *plas*, Abergwili, Caerf.   22/4421
Brynna, *p.*, Llanbedr-ar-fynydd, Morg.   21/9883
Brynnog, gw. **Braenog.**
Bryn Owen (Stalling Down), *bryn*, Llanfleiddan,   31/0174
  Morg.
Bryn'refail, *p.*, Llanddeiniolen, Caern.   23/5662
Brynsadler, *p.*, Llantrisant, Morg.   31/0380
Brynsaithmarchog, *p.*, Gwyddelwern, Meir.   33/0750
Brynsiencyn, *p.*, Llanidan, Môn.   23/4867
Bryn Tail, *m.*, Llanidloes, Tfn.   22/9187
Bryn-teg, *p.*, Broughton, Dinb.   33/3052
    p., Llanfair Mathafarn Eithaf, Môn.   23/4982
Brynteifi, *ardal*, Llanfihangel-ar-arth, Caerf.   22/4539
Bryntelych, *ardal*, Llandeilo Tal-y-bont, Morg.   22/6002
Bryn Trillyn, *m.*, Llansannan, Dinb.   23/9459
Bryn y Brath, *m.*, Carno, Tfn.   23/9501
Bryn y Castell, *m.*, Llanerfyl, Tfn.   23/9705
Bryn y Fawnog, *bryn*, Aberhafesb/Tregynon, Tfn.   32/0397
Bryn y Gadair, *m.*, Carno, Tfn.   22/9594
Bryn-y-groes, *ff.*, Diserth a Thre-coed, Maesd.   32/0658
Bryn y Gydfa, *bryn*, Bugeildy, Maesd.   32/1280
Bryn-y-maen, *ardal*, Llandrillo-yn-Rhos, Dinb.   23/8376
Bryn yr Hen Bobl, *hyn.*, Llanddaniel-fab, Môn.   23/5168
Brynyrodyn, *cp.*, *ff.*, Llandwrog, Caern.   23/4756
Bryn yr Oerfa, *m.*, Trefeglwys, Tfn.   22/9094
Bryn y Saethau, *hyn.*, Llangynyw, Tfn.   33/1210
Buan, *pl.*, Caern.   23/3036
Buckley, gw. **Bwcle.**
Buddugre, *bryn*, Llanddewi Ystradenni, Maesd.   32/0870
Bugeildy (Beguildy), *pl.*, *p.*, Maesd.   32/1979
Bugeilyn, *ll.*, Penegoes, Tfn.   22/8292
Builth Wells, gw. **Llanfair-ym-Muallt.**
Burry Port, *pl.*, *t.*, Caerf.   22/4400
Bwcle (Buckley), *pl.*, *p.*, Ffl.   33/2764
Bwlch, *p.*, Llanfihangel Cwm Du, Brych.   32/1521

Bwlch Cwmllan, *bw.*, Beddgelert/Betws Garmon, 23/6052
Caern.
Bwlchderwin (*nid* **Bwlchderwydd**), *p.*, Clynnog, 23/4546
Caern.
Bwlch Drws Ardudwy, *bw.*, Llanbedr/ 23/6527
Llanenddwyn, Meir.
Bwlch Ddeilior (*nid* **Bwlch y Ddwy Elor**), 23/5550
bw., Betws Garmon, Caern.
Bwlch Ehediad, gw. **Bwlch y Rhediad.**
Bwlch Goriwared, *bw.*, Llanfachreth, Meir. 23/7624
Bwlch Gwyn, *bw.*, Pentrefoelas, Dinb. 23/9054
Bwlch-gwyn, *p.*, Brymbo, Dinb. 33/2653
Bwlch-llan, *p.*, Nancwnlle, Cer. 22/5758
Bwlch Llyn Bach, *bw.*, Tal-y-llyn, Meir. 23/7412
Bwlch Mawr, *m.*, Clynnog, Caern. 23/4247
Bwlch Mwlchan, *bw.*, Beddgelert, Caern. 23/6251
Bwlch Nantyrarian, *bw.*, Melindwr, Cer. 22/7181
Bwlchnewydd, *p.*, Llannewydd, Caerf. 22/3624
Bwlch Oerddrws, *bw.*, Brithdir ac Islaw'r-dref, 23/7917
Meir.
Bwlch Sirddyn, *bw.*, Llanuwchllyn/ 23/8823
Llanymawddwy, Meir.
Bwlch Slatas, *bw.*, Ffestiniog, Meir. 23/7245
Bwlchtocyn, *p.*, Llanengan, Caern. 23/3026
Bwlch Tyddiad, *bw.*, Llanbedr, Meir. 23/6530
Bwlchybeudy, *plas*, Cerrigydrudion, Dinb. 23/9648
Bwlchycibau, *p.*, Meifod, Tfn. 33/1717
Bwlch y Clawdd, *bw.*, Rhondda, Morg. 21/9494
Bwlch y Duwynt, *bw.*, Crai, Brych. 22/8919
Bwlch y Ddeufaen, *bw.*, Caerhun/Llanfairfechan, 23/7171
Caern.
Bwlch y Ddwy Elor, gw. **Bwlch Ddeilior.**
Bwlch y Ddwy Gluder, *bw.*, Llanberis/Capel 23/6457
Curig, Caern.
Bwlchyfadfa, *ardal*, Llandysul, Cer. 22/4349
Bwlch y Fan, *bw.*, Llanidloes/Trefeglwys, Tfn. 22/9489
Bwlch y Fedwen, *bw.*, Garthbeibio, Tfn. 23/9313
Bwlch-y-ffridd, *p.*, Aberhafesb, Tfn. 32/0695
Bwlchygarreg, *ardal*, Llanwnnog, Tfn. 32/0196
Bwlch y Gaseg, *bw.*, Corwen/Llangar, Meir. 33/0940
Bwlch-y-groes, *p.*, Clydau, Penf. 22/2336
                cp., Llangynllo, Cer. 22/3746
Bwlch y Groes, *bw.*, Dolwyddelan/Penmachno, 23/7551
Caern.
           bw., Llanymawddwy/Llanuwch- 23/9123
llyn, Meir.
Bwlch y Gwyddyl, *bw.*, Beddgelert, Caern. 23/6555

Bwlchymynydd, *p.*, Casllwchwr, Morg.	21/5798
Bwlch y Pentre, *bw.*, Cerrigydrudion, Dinb.	23/8746
Bwlch yr Eifl, *bw.*, Pistyll/Llanaelhaearn, Caern.	23/3645
Bwlch y Rhediad (*nid* **Bwlch Ehediad**), *bw.*, Beddgelert/Dolwyddelan, Caern.	23/6652
Bwlch y Rhiwgyr, *bw.*, Llanaber, Meir.	23/6220
Bwlch y Sarnau, *bw.*, Abaty Cwm-hir, Maesd.	32/0274
Bwlchysarnau, *ardal*, Abaty Cwm-hir, Maesd.	32/0274
Bwlwarcau, Y, *hyn.*, Llangynwyd Ganol, Morg.	21/8388
hyn., Porthceri, Morg.	31/0866
Bwrdd Arthur, *hyn.*, Llandrillo, Meir./Llanarmon Dyffryn Ceiriog, Dinb.	33/0734
hyn., Llaniestyn, Môn.	23/5881
Bwrdd y Rhyfel, *hyn.*, Ysgeifiog, Ffl.	33/1475
Byddegai (*neu* **Baddegai**), *n.*, *ff.*, Glyn/Modrydd, Brych.	22/9823
Bylchau, *pl.*, *p.*, Dinb.	23/9762
Bynea (Bynie, Y), *p.*, Llanelli, Caerf.	22/5499
Byrllysg, *hyn.*, Llanenddwyn, Meir.	23/5924
Byrwydd, Y, *bryn*, Castell Caereinion, Tfn.	33/1305

C

Caban-coch, *cronfa ddŵr*, Maesd./Brych.	22/9163
Cadair Benllyn, *m.*, Llanfor, Meir.	23/9045
Cadair Fronwen, *m.*, Llandrillo, Meir./ Llanarmon Dyffryn Ceiriog, Dinb.	33/0734
Cadair Idris, *m.*, Meir.	23/6913
Cadoxton, gw. **Tregatwg.**	
Cadoxton-juxta-Neath, gw. **Llangatwg.**	
Caeathro, *p.*, Llanrug, Caern.	23/5061
Cae Camp, *hyn.*, Llanhenwg Fawr, Myn.	31/3593
Cae-du, *ff.*, Llansannan, Dinb.	23/9363
Caeharris, *ardal*, Merthyr Tudful, Morg.	32/0707
Caeliber-isaf, *ardal*, Ceri, Tfn.	32/2092
-uchaf, *ardal*, Ceri, Tfn.	32/1892
Cae Maen, *hyn.*, Llanwynno, Morg.	31/0495
Caeo, *p.*, Cynwyl Gaeo, Caerf.	22/6739
Caer Arianrhod (*taf.* **Tregaranthrag**), *basle*, Clynnog, Caern.	23/4254
Caerau, *p.*, Caerdydd, Morg.	31/1375
p., Llangynwyd Uchaf, Morg.	21/8594
Caerau Gaer, *hyn.*, Llanddewi Felffre, Penf.	22/1316
Caer Beris, *hyn.*, Llanynys, Brych.	32/0250
Cae'r-bryn, *ardal*, Llandybïe, Caerf.	22/5913
Caerbwdi (Bay), *b.*, Tyddewi, Penf.	12/7624

Caer Caradog, *hyn.*, Llanfihangel Glyn Myfyr, Dinb. 23/9647
Caerdeon, *ardal*, Llanaber, Meir. 23/6518
Caer Din, *hyn.*, Yr Ystog, Tfn. 32/2789
Caer Drewyn, *hyn.*, Corwen, Meir. 33/0844
Caer Du, *hyn.*, Llandrindod, Maesd. 32/0559
Caerdydd, *bd. sirol, pl.*, Morg. 31/2175
Caer Ddunod, *hyn.*, Llanfihangel Glyn Myfyr, Dinb. 23/9852
Caer Eini, *hyn.*, Llandderfel, Meir. 33/0041
Caereinion Fechan, *pl.*, Tfn. 23/8208
Caer Einon, *hyn.*, Llanfaredd, Maesd. 32/0653
Caer Estyn, *hyn.*, Yr Hob, Ffl. 33/3157
Caerfarchell, *ardal*, Tyddewi, Penf. 12/7927
Caer Fawr, *hyn.*, Llanfaredd/Llanelwedd, Maesd. 32/0553
Caerfyrddin (Carmarthen), *sir, bd.*, Sain Pedr. 22/4120
Caerffili (Caerphilly), *t.*, Eglwysilan, Morg. 31/1586
Caer Gai, *hyn.*, Llanuwchllyn, Meir. 23/8731
Caer-gai, *ff.*, Llanuwchllyn, Meir. 23/8731
Caergeiliog, *p.*, Bodedern, Môn. 23/3178
   ardal, Llanfor, Meir. 23/9541
Caer Gwanaf, *hyn.*, Llantrisant, Morg. 31/0480
Caergwrle, *p.*, Yr Hob, Ffl. 33/3057
Caergybi (Holyhead), *pl., t.*, Môn. 23/2482
Caerhun, *pl., hyn.*, Caern. 23/7770
Caeriw (Carew), *pl., p., ca.*, Penf. 22/0403
Cae'r-lan, *p.*, Ystradgynlais Isaf, Brych. 22/8012
Caer Licyn, *hyn.*, Cemais Isaf, Myn. 31/3992
Caerllion (Caerleon), *pl., t.*, Myn. 31/3390
Caer Llugwy, *hyn.*, Capel Curig, Caern. 23/7457
Caermelwr, *plas*, Llanrwst, Dinb. 23/8060
Caernarfon (Caernarvon), *sir, bd.*, Llanbeblig. 23/4762
Caerphilly, gw. Caerffili.
Caersŵs, *p.*, Llanwnnog, Tfn. 32/0391
Caerunwch, *plas*, Brithdir ac Islaw'r-dref, Meir. 23/7617
Caerwedros, *p.*, Llandysiliogogo, Cer. 22/3755
Caer-went, *pl., p., hyn.*, Myn. 31/4790
Caerwys, *pl., t.*, Ffl. 33/1272
Caer y Bont, *hyn.*, Llandrillo, Meir. 33/0438
Caerynwch, gw. Caerunwch.
Caer y Twr, *hyn.*, Caergybi, Môn. 23/2182
Cae'r Ymryson, *hyn.*, Llanbeblig, Caern. 23/4862
Caldy Island, gw. Ynys Bŷr.
Caletwr, *ardal*, Llanfor, Meir. 23/9734
Camlan, *ardal*, Mallwyd, Meir. 23/8511
Camlo, *n.*, Nantmel, Maesd. 32/0468
Camnant, *n.*, Llansanffraid-yn-Elfael, Maesd. 32/0955
   n., Mochdre, Tfn./Llanbadarn Fynydd, 32/0783
   Maesd.

Camros (**Camrose**), *pl.*, *p.*, Penf.	12/9220
Candleston, gw. **Tregantllo.**	
Cantref, *pl.*, Brych.	32/0223
Cantwn (**Canton**), *ardal*, Caerdydd, Morg.	31/1676
Capel Bangor, *p.*, Melindwr, Cer.	22/6580
Capel Cefnberach, *cp.*, Llanfihangel Aberbythych, Caerf.	22/5618
Capel Celyn, *ardal*, Llanycil, Meir.	23/8540
Capel Colman, *pl.*, *eg.*, Penf.	22/2138
Capel Curig, *pl.*, *p.*, Caern.	23/7258
Capel Cynon, *p.*, Troed-yr-aur, Cer.	22/3849
Capel Dewi, *p.*, Faenor Uchaf/Parsel Canol, Cer.	22/6382
p., Llandysul, Cer.	22/4542
Capel Garmon, *p.*, Llanrwst, Dinb.	23/8155
Capel Gwladus, *hyn.*, Gelli-gaer, Morg.	31/1299
Capel Gwyn, *p.*, Llechylched, Môn.	23/3475
Capel Hendre, *p.*, Llandybïe, Caerf.	22/5911
Capel Iwan, *p.*, Cenarth, Caerf.	22/2936
Capel Isaac, *ardal*, Llandeilo Fawr, Caerf.	22/5826
Capel Llanilltern, gw. **Llanilltern.**	
Capel Llanlluan, *cp.*, Llanarthne, Caerf.	22/5515
Capel Newydd, *cp.*, Maenordeifi, Penf.	22/2239
Capel Sain Silin, *p.*, Llanfihangel Ystrad, Cer.	22/5150
Capel Saron (**Pentre Saron**), *p.*, Llanrhaeadr-yng-Nghinmeirch, Dinb.	33/0260
Capel Seion, *p.*, Llanbadarn-y-Creuddyn Isaf, Cer.	22/6379
Capeltrisant, gw. **Trisant.**	
Capel Uchaf, *p.*, Clynnog, Caern.	23/4349
p., Merthyr Cynog, Brych.	32/0040
Capel Ulo, *p.*, Dwygyfylchi, Caern.	23/7476
Capel-y-ffin, *cp.*, *ardal*, Glyn-fach, Brych.	32/2531
Capel-y-wig, *cp.*, *ardal*, Llangrannog, Cer.	22/3454
Carcwm, *m.*, Treflys, Brych.	22/8850
Cardiff, gw. **Caerdydd.**	
Cardigan, gw. **Aberteifi.**	
Careghofa, gw. **Carreghwfa.**	
Careglefn, gw. **Carreg-lefn.**	
Carew, gw. **Caeriw.**	
Carmarthen, gw. **Caerfyrddin.**	
Carmarthenshire Vans, gw. **Bannau Sir Gaer.**	
Carmel, *p.*, Llandwrog, Caern.	23/4954
p., Llanfihangel Aberbythych, Caerf.	22/5816
p., Chwitffordd, Ffl.	33/1676
Carnau Cefn-y-ffordd, *hyn.*, Llanwrthwl, Brych.	22/9560
Carn* Briw, *hyn.*, Trefdraeth, Penf.	22/0537

* Gweler hefyd yr enwau ar ôl **Garn.**
See also under **Garn.**

Carn Caglau, *hyn.*, Glyncorrwg, Morg.   22/8600
Carn-coed, *ff.*, Wdig, Penf.   12/9439
Carn Cornel, *hyn.*, Dulais Uchaf, Morg.   22/8106
Carndeifog, *rhos*, Casnewydd-bach, Penf.   12/9931
Carn Dochan, gw. **Castell Carndochan.**
Carneddau, *ff.*, Carno, Tfn.   22/9999
     m., Maesd.   32/0653
Carneddau Hengwm, *hyn.*, Llanaber, Meir.   23/6120
Carnedd Ddafydd, *m.*, Capel Curig/Llanllechid,   23/6662
    Caern.
Carnedd Iago, *m.*, Tir Ifan, Dinb./Trawsfynydd/   23/7840
    Llanycil, Meir.
Carnedd Illog, *hyn.*, Llanwddyn/Hirnant, Tfn.   33/0221
Carneddi Llwydion, *hyn.*, Pontypridd/Eglwysilan,   31/1091
    Morg.
Carnedd Llywelyn, *m.*, Caern.   23/6864
Carnedd Wen, *hyn.*, Llandderfel, Meir.   33/0035
         m., Llanbryn-mair/Garthbeibio, Tfn. 23/9209
Carnedd y Ci, *m.*, Llandrillo, Meir.   33/0534
Carnedd y Cylch, *m.*, Garthbeibio/Llangadfan/   23/9309
    Llanbryn-mair, Tfn.
Carnedd y Ddelw, *hyn.*, Aber/Caerhun, Caern.   23/7070
Carnedd y Filiast, *m.*, Tir Ifan/Cerrigydrudion,   23/8744
         Dinb./Llanfor, Meir.
         m., Llandygái, Caern.   23/6162
Carn Fadog, *carnedd*, Cwarter Bach, Caerf.   22/7617
Carn Fadrun, *m.*, Tudweiliog, Caern.   23/2835
Carn Ferched, *hyn.*, Eglwys Wen, Penf.   22/1532
Carn Foesen, *hyn.*, Rhigos/Glyncorrwg/Rhondda,   22/9002
    Morg.
Carn Frân, *bryn, hyn.*, Abergwaun, Penf.   12/9737
Carn Gafallt, *m.*, Llanwrthwl, Brych.   22/9464
Carn Gelli, *bryn*, Llanwnda, Penf.   12/9237
Carngowil, *ff.*, Llanwnda, Penf.   12/9338
Carn Guwch, *m.*, Pistyll, Caern.   23/3742
Carnguwch, *ff., ardal*, Pistyll/Llannor, Caern.   23/3642
Carngwcw, *ff.*, Casnewydd-bach, Penf.   12/9930
Carn Gwilym, *hyn.*, Uwchygarreg, Tfn.   22/7990
Carn Gyfrwy, *m.*, Meline/Eglwys Wen/   22/1432
    Mynachlog-ddu, Penf.
Carnhedryn, *ardal*, Tyddewi, Penf.   12/7927
Carn Ingli, *m., hyn.*, Trefdraeth, Penf.   22/0537
Carn Lwyd, *hyn.*, Llan-giwg, Morg.   22/7207
Carn Llechart, *hyn.*, Rhyndwyglydach, Morg.   22/6906
Carn Llidi, *bryn*, Tyddewi, Penf.   12/7328
Carn March Arthur, *hyn.*, Towyn, Meir.   22/6598
Carno, *pl., p.*, Tfn.   22/9696

Carn Owen, *hyn.*, Ceulan-a-Maesmor, Cer.	22/7388
Carn Penrhiw-ddu, *hyn.*, Llangadog, Caerf.	22/7218
Carn Penrhiwllwydog, *hyn.*, Llanddewibrefi, Cer.	22/7352
Carn Ricet, *hyn.*, Llansanffraid Cwmteuddwr, Maesd.	22/8770
Carn Twrch, *hyn.*, Llanfair-ar-y-bryn, Caerf.	22/8046
Carn Wen, *hyn.*, Llanfair-ar-y-bryn, Caerf.	22/7945
hyn., Llanfihangel Nant Brân, Brych.	22/9340
Carn Wnda, *bryn*, Llanwnda, Penf.	12/9339
Carn y Bugail, *hyn.*, Gelli-gaer, Morg.	32/1003
Carn y Castell, *hyn.*, Talgarth, Brych.	32/1529
Carn y Geifr, *hyn.*, Llysdinam/Llanwrthwl, Brych.	22/9760
Carn y Gigfran, *hyn.*, Llanddeusant, Caerf.	22/7721
Carn y Parc, *carnedd*, Penmachno, Caern.	23/8050
Carn y Pigwn, *m.*, Rhondda/Aberdâr/ Llanwynno, Morg.	31/0197
Carn yr Hyrddod, *hyn.*, Llangeinwyr, Morg.	21/9293
Caron-is-clawdd, *pl.*, Cer.	22/7057
Caron-uwch-clawdd, *pl.*, Cer.	22/7760
Carreg Cadno, *clog.*, Ystradgynlais Uchaf, Brych.	22/8715
Carreg Cennen, *ca.*, Llandeilo Fawr, Caerf.	22/6618
Carregedrywy, *y.*, Nyfer, Penf.	22/0441
Carreghwfa, *pl.*, *plas*, Tfn.	33/2521
Carreg-lefn, *pl.*, *p.*, Môn.	23/3889
Carreg Lem, *clog.*, Ystradgynlais Isaf, Brych.	22/8017
Carreg Lwyd, *clog.*, Ystradgynlais Uchaf, Brych.	22/8615
Carregonnen, *y.*, *b.*, Llanwnda, Penf.	12/8841
Carreg Pumsaint, *hyn.*, Cynwyl Gaeo, Caerf.	22/6640
Carreg Ronwy, *y.*, Ynys Enlli, Caern.	23/1021
Carreg Sawdde, *comin*, Llangadog, Caerf.	22/7018
Carreg Wastad, *pen.*, Llanwnda, Penf.	12/9240
Carreg Waun-llech, *hyn.*, Llangynidr, Brych.	32/1617
Carreg Wen, *hyn.*, Llanidloes, Tfn.	22/8288
Carreg y Defaid, *pen.*, Llanbedrog, Caern.	23/3432
Carreg y Foel Gron, *clog.*, Ffestiniog, Meir.	23/7442
Carreg y Frân, *m.*, Garthbeibio, Tfn.	23/9514
Carreg yr Imbill, *pen.*, Deneio, Caern.	23/3834
Carrog, *p.*, Llansanffraid Glyndyfrdwy, Meir.	33/1143
Carwe (Carway), *p.*, Pen-bre, Caerf.	22/4606
Cas-bach (Castleton), *p.*, Maerun, Myn.	31/2583
Cas-blaidd (Wolf's Castle), *p.*, *hyn.*, Llantydewi, Penf.	12/9526
Cas-bwnsh (Pointz Castle), *ff.*, Breudeth, Penf.	12/8323
Cas-fuwch (Castlebythe, Castlebigh), *pl.*, *p.*, Penf.	22/0228
Casgob, *pl.*, Maesd.	32/2065
Cas-gwent (Chepstow), *pl.*, *t.*, Myn.	31/5393
Cas-lai (Hayscastle), *pl.*, *p.*, Penf.	12/8925

Casllwchwr (**Loughor**), *pl.*, *t.*, Morg.	21/5798
Cas-mael (**Casmâl**) (**Puncheston**), *pl.*, *p.*, Penf.	22/0029
Casmorys (**Castle Morris**), *p.*, Mathri, Penf.	12/9031
Casnewydd-ar-Wysg (**Newport**), *pl.*, *bd. sirol*, Myn.	31/3088
Casnewydd-bach (**Little Newcastle**), *pl.*, *p.*, Penf.	12/9829
Castell, Y, (*nid* **Castell Cleddyf**), *hyn.*, Llanwnda, Penf.	12/9239
Castell Aberlleiniog, *hyn.*, Llangoed, Môn.	23/6179
Castellau, *ff.*, *ca.*, Llantrisant, Morg.	31/0586
Castell Blaenllynfi, *hyn.*, Cathedin, Brych.	32/1422
Castell Bugad, *hyn.*, Llanbedr Pont Steffan, Cer.	22/5948
Castell Cadwgan, *hyn.*, Aberaeron, Cer.	22/4663
Castell Caemardy, *hyn.*, Llanelwedd, Maesd.	32/0353
Castell Caerau, *hyn.*, Dolbenmaen, Caern.	23/5043
Castell Caereinion, *pl.*, *p.*, Tfn.	33/1605
Castell Carndochan, *hyn.*, Llanuwchllyn, Meir.	23/8430
Castell Cawr, *hyn.*, Abergele, Dinb.	23/9376
Castell Coch, *hyn.*, Mathri, Penf.	12/8734
hyn., Ystradfellte, Brych.	22/9314
ca., Yr Eglwys Newydd, Morg.	31/1382
Castell Coch, Y, (**Powys**), *ca.*, Y Trallwng, Tfn.	33/2106
Castell Collen, *hyn.*, Llanfihangel Helygen, Maesd.	32/0562
Castell Crychydd, *hyn.*, Clydau, Penf.	22/2634
Castell Dinas Brân, *hyn.*, Llangollen, Dinb.	33/2243
Castell Dolbadarn, *hyn.*, Llanberis, Caern.	23/5859
Castell Dolforwyn, *hyn.*, Betws Cedewain, Tfn.	32/1595
Castell Dolwyddelan, *hyn.*, Dolwyddelan, Caern.	23/7252
Castell Draenen, *hyn.*, Abergwaun, Penf.	12/9434
Castelldwyran, *ardal*, Llandysilio, Penf.	22/1418
Castell Forlan, *hyn.*, Y Forlan, Penf.	22/0826
Castell Fflemish, *hyn.*, Caron-is-clawdd, Cer.	22/6563
hyn., Treamlod, Penf.	22/0026
Castell Goetre, *hyn.*, Llangybi/Llanfair Clydogau, Cer.	22/6050
Castell Grogwynion, *hyn.*, Llanafan, Cer.	22/7272
Castell Gwalchmai (**Walwyn's Castle**), *pl.*, *hyn.*, Penf.	12/8711
Castell Gwallter, *hyn.*, Genau'r-glyn, Cer.	22/6286
Castell Gwrych, *plas*, *ca.*, Abergele, Dinb.	23/9277
Castell Heinif, *hyn.*, Tyddewi, Penf.	12/7224
Castell Hendre-wen, *hyn.*, Trefwrdan, Penf.	12/9233
Castellhenri (**Henry's Moat**), *pl.*, *p.*, Penf.	22/0427
Castellhywel, *ff.*, Llandysul, Cer.	22/4448
Castell-llan, *pl.*, Penf.	22/1935
Castellmai, *ff.*, Waunfawr, Caern.	23/4960
Castellmarch, *hyn.*, Llanengan, Caern.	23/3129
Castellmartin, *pl.*, *p.*, Penf.	11/9198

25

Castell Meurig, *hyn.*, Llangadog, Caerf.   22/7027
Castell Moeddyn, *hyn.*, Llannarth, Cer.   22/4851
Castell Moel (Castell Gwyrdd), *hyn.*, Llan-gain, 22/3816
  Caerf.
Castell Nadolig, *hyn.*, Penbryn, Cer.   22/2950
Castell-nedd (Neath), *pl., bd.*, Morg.   21/7597
Castellnewydd, Y, (Newcastle), *p.*, Pen-y-bont 21/9079
  ar Ogwr, Morg.
Castellnewydd Emlyn (Newcastle Emlyn),   22/3040
  pl., t., Caerf.
Castellnewydd Uchaf, *pl.*, Morg.   21/8882
Castellor, *ff.*, Llansadwrn, Môn.   23/5474
Castell-paen (Painscastle), *p.*, Llanbedr   32/1646
  Castell-paen, Maesd.
Castell Pen-yr-allt, *hyn.*, Llantood, Penf.   22/1542
Castell Pictwn, *ca.*, Slebets, Penf.   22/0013
Castell Pigyn, *ff.*, Abergwili, Caerf.   22/4322
Castell Powys, gw. **Castell Coch.**
Castellrhingyll, *ardal*, Llanfihangel Aberbythych, 22/5714
  Caerf.
Castell Rhyfel, *hyn.*, Caron-is-clawdd, Cer.   22/7359
Castell Tal-y-fan, *hyn.*, Ystradowen, Morg.   31/0277
Castell Tomen-y-mur, *hyn.*, Maentwrog, Meir. 23/7038
Castell Weble, *ca.*, Llanrhidian Isaf, Morg.   21/4792
Castell y Bere, *hyn.*, Llanfihangel-y-Pennant, Meir. 23/6608
Castell y Gaer, *hyn.*, Llangelynnin, Meir.   23/5909
Castell y Garn, *hyn.*, Saint Harmon/Cwm-hir, Maesd. 32/0173
Castell y Geifr, *clog.*, Ystradgynlais Isaf, Brych. 22/8216
Castell y Mynach, *hyn.*, Pen-tyrch, Morg.   31/0881
Castell y Rhodwy[dd] (*nid* **yr Adwy**), *hyn.*,   33/1751
  Llandegla, Dinb.
Castlebythe, gw. **Cas-fuwch.**
Castle Caereinion, gw. **Castell Caereinion.**
Castle Morris, gw. **Casmorys.**
Castleton, gw. **Cas-bach.**
Caswilia (*nid* **Castle Villa**), *hyn.*, Breudeth, Penf. 12/8827
Cas-wis (Wiston), *pl., p.*, Penf.   22/0217
Cathedin, *pl.*, Brych.   32/1425
Cefn, *pl., p., plas,* Dinb.   33/0171
  (**Cefn-mawr**), *pl., p.*, Dinb.   33/2842
Cefnamwlch, *plas*, Tudweiliog, Caern.   23/2335
Cefnberach, gw. **Capel Cefnberach**
Cefn Blewog, *bryn, hyn.*, Llanafan, Cer.   22/6972
Cefn Brith, *m.*, Carno, Tfn.   23/9800
Cefn-brith, *p.*, Cerrigydrudion, Dinb.   23/9350
  ff., Carno, Tfn.   23/9800
  ff., Penbuallt, Brych.   22/9145

Cefn Brwynog, *m.*, Caron-uwch-clawdd, Cer. 22/8165
Cefn Bryn, *bryn*, Morg. 21/4890
Cefn Carnfadog, *m.*, Cwarter Bach, Caerf. 22/7616
Cefn Cerrigellgwm (Cerrigellwn), *m.*, Tir Ifan, 23/8447
Dinb.
Cefn Cilsanws, *m.*, Y Faenor, Brych. 32/0209
Cefn-coch, *ff.*, Llanfair Dyffryn Clwyd, Dinb. 33/1457
Cefn-coed, *ff.*, Llanfair-ar-y-bryn, Caerf. 23/8136
Cefncoedycymer, *p.*, Y Faenor, Brych. 32/0307
Cefn Cribwr, *bryn*, Morg. 21/8582
Cefncribwr, *p.*, Llandudwg Uchaf, Morg. 21/8582
Cefn Cymerau, *ardal*, Llanbedr, Meir. 23/6127
Cefn Digoll (Long Mountain), *m.*, Trelystan/ 33/2601
Tre-wern, Tfn.
Cefn Du, *m.*, Llanrug/Waunfawr, Caern. 23/5460
   m., Y Gyffylliog/Clocaenog, Dinb. 33/0454
Cefnddwygraig, *ardal*, Llangywer, Meir. 23/9233
Cefnddwysarn, *p.*, Llandderfel, Meir. 23/9638
Cefneithin, *p.*, Llanarthne, Caerf. 22/5513
Cefn Fanog, *m.*, Llanddewi Abergwesyn, Brych. 22/8251
Cefn Glas, *m.*, Llanwddyn, Tfn. 23/9420
Cefngorwydd, *p.*, Penbuallt, Brych. 22/9045
Cefn Gwryd, *m.*, Llan-giwg, Morg. 22/7207
Cefn Hergest, *m.*, Llanfair Llythynwg, Maesd. 32/2455
Cefn Hirfynydd, *m.*, Llansilin, Dinb. 33/1531
Cefn Hirgoed, *bryn*, Coety/Pen-coed, Morg. 21/9283
Cefn Llwydlo, *m.*, Llanddulas, Brych. 22/8542
Cefn-llys, *pl.*, *ca.*, Maesd. 32/0961
Cefn Llysgŵr, *m.*, Llansannan/Bylchau, Dinb. 23/9258
Cefnllys-isaf, *ardal*, Llanerfyl, Tfn. 23/0005
   -uchaf, *ardal*, Llanerfyl, Tfn. 23/9607
Cefn Llystyn, *m.*, Llandrillo, Meir. 33/0133
Cefnmabli, *plas*, Llanfedw, Morg. 31/2284
Cefn Man-moel, *m.*, Bedwellte/Glynebwy/ 32/1606
Tredegar, Myn.
Cefn Mawr, *m.*, Ystradgynlais Isaf, Brych. 22/7915
Cefn-mawr, *p.*, Cefn, Dinb. 33/2842
Cefn Meiriadog, *bryn*, Cefn, Dinb. 33/0072
Cefnmelgoed, *ff.*, Llanychaearn, Cer. 22/5774
Cefn Onn, *bryn*, Rhydri, Morg. 31/1885
Cefn-onn, *st.*, Rhydri, Morg. 31/1784
Cefn Onnau, *m.*, Llangatwg, Brych. 32/1616
Cefnpennar, *p.*, Llanwynno, Morg. 32/0300
Cefn Pyllauduon, *m.*, Dukestown, Myn. 32/1012
Cefn Rhyswg, *m.*, Aber-carn, Myn. 31/2294
Cefn Sidan, *basle*, Caerf. 22/3205
Cefn Tresbyty, *m.*, Llanwddyn, Tfn. 23/9620

27

Cefn-y-bedd, *p.*, Llanfynydd, Ffl.	33/3156
ardal, Llanganten, Brych.	32/0051
Cefn y Castell, *bryn, hyn.*, Treberfedd, Tfn.	33/3013
Cefnydfa, *ff.*, Llangynwyd Ganol, Morg.	21/8786
Cefn yr Ogof, *bryn*, Abergele, Dinb.	23/9177
Cegidfa (Guilsfield), *pl., p.*, Tfn.	33/2211
Ceidio, *eg.*, Buan, Caern.	23/2838
Ceinewydd (New Quay), *pl., p.*, Cer.	22/3859
Ceint, *ardal*, Penmynydd, Môn.	23/4974
Ceinws, *ardal*, Llanwrin, Tfn.	23/7605
Celynnen, *p.*, Aber-carn, Myn.	31/2295
Cellan, *pl., p.*, Cer.	22/6149
Cemais, *pl., p.*, Tfn.	23/8306
Cemais (Cemaes Bay), *p., b.*, Llanbadrig, Môn.	23/3793
Cemais (Kemeys), *pl.*, Myn.	31/3892
Cemais Comawndwr (Kemeys Commander),	32/3404
p., Gwehelog Fawr, Myn.	
Cenarth, *pl., p.*, Caerf.	22/2641
Cendl (Beaufort), *pl., p.*, Myn.	32/1611
Ceniarth, *ff.*, Uwchygarreg, Tfn.	22/7797
Ceri, *pl., p.*, Tfn.	32/1490
Cernioge, *ff.*, Pentrefoelas, Dinb.	23/9050
Cerrig Cedny, *hyn.*, Llanfair-ar-y-bryn, Caerf.	22/8046
Cerrigceinwen, *pl.*, Môn.	23/4173
Cerrig Chwibanog, *m.*, Llanuwchllyn, Meir.	23/8230
Cerrig Duon, *m.*, Llansanffraid Glynceiriog, Dinb.	33/1238
Cerrig Mawr, *hyn.*, Pen-y-cae, Dinb.	33/2549
Cerrigydrudion, *pl., p.*, Dinb.	23/9548
Cerrig y Gof, *hyn.*, Trefdraeth, Penf.	22/0339
Cerrig yr Iwrch, *m.*, Llanuwchllyn, Meir.	23/8229
Ceulan-a-Maesmor (*nid* **Ceulan-y-maes-mawr**),	22/6789
pl., Cer.	
Ceunant, *ardal.*, Llanrug, Caern.	23/5361
Ceunant Mawr, *n.*, Penmachno, Caern.	23/7645
n., Beddgelert, Caern.	23/6653
Chepstow, gw. **Cas-gwent.**	
Chirk, gw. **Waun, Y.**	
Christchurch, gw. **Eglwys y Drindod.**	
Churchstoke, gw. **Ystog, Yr.**	
Cilâ (Killay), *p.*, Abertawe, Morg.	21/6092
Cilan, *ardal*, Llanengan, Caern.	23/2924
ardal, Llandrillo, Meir.	33/0237
Cilcain, *pl., p.*, Ffl.	33/1765
Cilcennin, *pl., p.*, Cer.	22/5260
Cilcochwyn, *llechwedd*, Aberriw, Tfn.	33/1302
Cilfái (Kilvey), *ardal*, Abertawe, Morg.	21/6896
Cil-frwch, *plas*, Pennard, Morg.	21/5589

Cilfwnwr, *ff.*, Llangyfelach, Morg.	21/6398
Cilfynydd, *p.*, Pontypridd, Morg.	31/0892
Cil-ffriw, *p.*, Blaenhonddan, Morg.	22/7600
Cilgerran, *pl.*, *p.*, Penf.	22/1942
Cilgeti, *p.*, Saint Ishel, Penf.	22/1207
Cilgwrrwg, *pl.*, Myn.	31/4598
Cilgwyn, *ardal*, Llandwrog, Caern.	23/4954
plas, Llandyfrïog, Cer.	22/3141
ff., Llangybi, Cer.	22/6054
Cilhepste, *rhaeadr*, Ystradfellte, Brych.	22/9210
Ciliau Aeron, *pl.*, *p.*, Cer.	22/5058
Cilieni, *n.*, Llandeilo'r-fân/Is-clydach, Brych.	22/9330
Cilmaen-gwyn, *ardal*, Llan-giwg, Morg.	22/7406
Cilmeri, *p.*, *plas*, Llanganten, Brych.	23/0051
Cilowen (Killowent), *n.*, Bugeildy, Maesd.	32/1379
Cilrhedyn, *pl.*, *eg.*, Penf.	22/2734
ardal, Llanychâr, Penf.	22/0034
Cil-sant, *plas*, Llanwinio, Caerf.	22/2623
Cilwendeg, *plas*, Capel Colman, Penf.	22/2238
Cilybebyll, *pl.*, *p.*, *plas*, Morg.	22/7404
Cil-y-cwm, *pl.*, *p.*, Caerf.	22/7540
Cilymaenllwyd, *pl.*, Caerf.	22/1424
Cilyrychen, *ch.*, Llandybïe, Caerf.	22/6116
Cilybion, *ff.*, Llanrhidian, Morg.	21/5191
Cim, *ardal*, Clynnog/Llanllyfni, Caern.	23/4452
Cimla, *ardal*, Castell-nedd, Morg.	21/7696
Cinmel, *plas*, Abergele, Dinb.	23/9874
Cipin, *ardal*, Llandudoch, Penf.	22/1348
Clarach, *cil.*, *a.*, Llangorwen, Cer.	22/5883
Clas-ar-Wy, Y, (Glasbury), *pl.*, *p.*, Maesd.	32/1739
Clawdd-coch, *ardal*, Carreghwfa, Tfn.	33/2420
Clawdd Du, *hyn.*, Trefynwy, Myn.	32/5012
Clawdd Mawr, *hyn.*, Hirnant/Llanrhaeadr-ym-Mochnant, Tfn.	33/0621
Clawddnewydd, *p.*, Derwen, Dinb.	33/0852
Clawdd y Mynach, *hyn.*, Y Wig/Yr As Fawr, Morg.	21/9070
Cleddau, gw. **Afon Cleddy.**	
Clegyrfwya, *ff.*, *hyn.*, Tyddewi, Penf.	12/7325
Clegyrog-wen, *ff.*, Towyn, Meir.	22/6597
Cleidda (Clytha), *plas*, Llan-arth Fawr, Myn.	32/3609
Cleirwy (Clyro), *pl.*, *p.*, Maes.	32/2143
Clemenston, gw. **Treglement.**	
Clenennau, *ff.*, Dolbenmaen, Caern.	23/5342
Clipiau, *bryn*, Llanaelhaearn, Caern.	23/4146
Clipiau, Y, *bryn*, Mallwyd, Meir.	23/8410
Clip y Gylfinir, *bryn*, Aberdaron, Caern.	23/2228
Clocaenog, *pl.*, *p.*, Dinb.	33/0854

Cloddiau, *ardal*, Cegidfa, Tfn.   33/2009
Clogau, *mwyn.*, Llanaber, Meir.   23/6720
Clogwyn Candryll, *clog.*, Ffestiniog, Meir.   23/7244
Clogwyn Du'r Arddu, *clog.*, Betws Garmon/   23/5955
Llanberis, Caern.
Clogwyn Graig-ddu, *clog.*, Tir Ifan, Dinb.   23/8346
Clogwyn Melyn, *bryn*, Llanllyfni, Caern.   23/4853
Clogydd, Y, *m.*, Llanrhaeadr-ym-Mochnant, Tfn.   33/0628
Cloigyn, *p.*, Llandyfaelog, Caerf.   22/4314
Clun, Y, (Clyne), *pl.*, *p.*, Morg.   22/8000
Clunderwen, *p.*, Llandysilio, Caerf./Grondre, Penf.   22/1219
Cluneithinog, *ff.*, Blaen-gwrach, Morg.   22/9005
Clwchdernog, *ff.*, Llanddeusant, Môn.   23/3386
Clwt-y-bont, *p.*, Llanddeiniolen, Caern.   23/5763
Clwydyfagwyr, *ardal*, Merthyr Tudful, Morg.   32/0206
Clydach, *t.*, Rhyndwyglydach, Morg.   22/6901
    p., Llanelli, Brych.   32/2213
Clydach Vale, *p.*, Rhondda, Morg.   21/9792
Clydau (Clydey), *pl.*, *p.*, Penf.   22/2434
Clynderwen, gw. **Clunderwen.**
Clynnog, *pl.*, Caern.   23/4448
Clynnog Fawr, *p.*, Clynnog, Caern.   23/4149
Clyro, gw. **Cleirwy.**
Clytha, gw. **Cleidda.**
Cnicht, Y, *m.*, Beddgelert, Caern./Llanfrothen,   23/6446
Meir.
Cnwclas (Knucklas), *p.*, Llanddewi-yn-Heiob,   32/2574
Maesd.
Cnwch-coch, *p.*, Llanfihangel-y-Creuddyn Isaf, Cer. 22/6775
Cocyd, Y, (Cockett), *ardal*, Abertawe, Morg.   21/6294
Cochwillan, *plas*, Llanllechid, Caern.   23/6069
Coed Alun, *plas*, Llanbeblig, Caern.   23/4762
Coedana, *pl.*, *p.*, Môn.   23/4382
Coedcanlas, *pl.*, Penf.   22/0009
Coedcernyw, *pl.*, *plas*, Myn.   31/2683
Coed-duon (Blackwood), *p.*, Bedwellte, Myn.   31/1797
Coed-elái, *ardal*, Llantrisant, Morg.   31/0285
Coed-ffranc, *pl.*, Morg.   21/7095
Coed Helen, gw. **Coed Alun.**
Coed-llai (Leeswood), *p.*, Yr Wyddgrug, Ffl.   33/2759
Coedmor, *plas*, Llangoedmor, Cer.   22/1943
Coed-pen-maen, *ardal*, Pontypridd, Morg.   31/0890
Coed-poeth, *p.*, Bers, Dinb.   33/2851
Coedrhiglan (nid **Coedarhydyglyn**), *plas*, Sain   31/1075
Siorys, Morg.
Coed-talon, *p.*, Treuddyn, Ffl.   33/2659
Coedway, *p.*, Bausley, Tfn.   33/3414

Coed-y-bryn, *p.*, Llangynllo, Cer.	22/3545
Coedymwstwr, *plas, ff.*, Llangrallo Isaf, Morg.	21/9480
Coed-y-paun, *p.*, Llangybi Fawr, Myn.	31/3398
Coelbren, Y, *p.*, Ystradgynlais Uchaf, Brych.	22/8511
Coeten Arthur, *hyn.*, Tyddewi, Penf.	12/7228
Coety, *pl., p.*, Morg.	21/9281
Cogan, *p.*, Penarth, Morg.	31/1772
Colbrwg (Coldbrook), *plas*, Y Fenni, Myn.	32/3112
Coleshill, gw. **Cwnsyllt.**	
Colfa (Colva), *pl.*, Maesd.	32/2052
Col-huw (Colhugh), *basle, n.*, Llanilltud Fawr, Morg.	21/9567
Colwinston, *gw.* **Tregolwyn.**	
Colwyn Bay, gw. **Bae Colwyn.**	
Comin Cefn-poeth, *comin*, Llanganten, Brych.	22/9852
Comin Coch, *comin*, Rhosferig, Brych.	22/9954
Comins-coch, *p.*, Darowen/Cemais, Tfn.	23/8403
~~ *ardal*, Faenor Uchaf, Cer.	22/6082
Conwil, gw. **Cynwyl.**	
Conwy, *pl., bd., a., ca.*, Caern.	23/7877
Copa Ceiliog, *m.*, Tir Ifan, Dinb.	23/8748
Corlannau, *ardal*, Port Talbot, Morg.	21/7690
Corneli (Cornelly), *p.*, Y Pîl, Morg.	21/8280–1
Corn Du, *m.*, Modrydd, Brych.	32/0021
Corn Gafallt, gw. **Carn Gafallt.**	
Corntwn (Corntown), *p.*, Ewenni, Morg.	21/9177
Corris, *p.*, Tal-y-llyn, Meir.	23/7507
Cors Ddyga (Malltraeth Marsh), *cors*, Môn.	23/4471
Cors Fochno, *cors*, Llangynfelyn, Cer.	22/6290
Cors Geirch, *cors*, Buan, Caern.	23/3136
Cors Goch Glanteifi (Cors Garon), *cors*, Cer.	22/6863
Cors-y-bol, *cors*, Môn.	23/3885
Corsygedol, *plas*, Llanddwywe-is-y-graig, Meir.	23/6023
Corwen, *pl., t.*, Meir.	33/0743
Cotrel, Y, *plas*, Sain Nicolas, Morg.	31/0774
Cowbridge, gw. **Bont-faen, Y.**	
Coychurch, gw. **Llangrallo.**	
Coytrahene, gw. **Goetre-hen, Y.**	
Crai, *pl., p.*, Brych.	22/8924
Craig* Berth-lwyd, *bryn*, Merthyr Tudful, Morg.	31/0995
Craig Blaenrhondda, *clog.*, Rhondda, Morg.	22/9100
Craig Blaen-y-cwm, *clog.*, Penmachno, Caern.	23/7347
Craig Bronbannog, *m.*, Llanfihangel Glyn Myfyr/ Clocaenog, Dinb.	33/0252
Craig-cefn-parc, *p.*, Rhyndwyglydach/Mawr, Morg.	22/6703

* Gweler hefyd yr enwau ar ôl **Graig.**
See also under **Graig.**

Craig Cerrig-gleisiad, *clog.*, Glyn, Brych. 22/9621
Craig Cwmbychan, *clog.*, Betws Garmon, Caern. 23/5455
Craig Cwmdulyn, *clog.*, Clynnog, Caern. 23/4949
Craig Cwmsilyn, *clog.*, Llanllyfni, Caern. 23/5150
Craig Cywarch, *clog.*, Llanymawddwy, Meir. 23/8318
Craig Derlwyn, *clog.*, Cwarter Bach, Caerf. 22/7215
Craig Dwrch, *m.*, Cynwyl Gaeo, Caerf. 22/6649
Craig Ddu, *clog.*, Tal-y-llyn, Meir. 23/7010
     clog., Beddgelert, Caern. 23/6152
Craig Gwaun Taf, *clog.*, Modrydd, Brych. 32/0020
Craig Gwent, *m.*, Abersychan, Myn. 31/2599
Craig Gyfynys, *bryn*, Maentwrog, Meir. 23/6838
Craig Nythygigfran, *clog.*, Ffestiniog, Meir. 23/6845
Craig Orllwyn, *m.*, Llanrhaeadr-ym-Mochnant, 33/1625
    Dinb.
Craig Portas, *clog.*, Mallwyd, Meir. 23/8014
Craig Pysgotwr, *clog.*, Llanddewibrefi, Cer. 22/7549
Craig Rhiweirth, *m.*, Llangynog, Tfn. 33/0526
Craig Selsig, *clog.*, Rhondda, Morg. 21/9197
Craig Syfyrddin (**Graig Serrerthin**), *m.*, 32/4021
    Grysmwnt Fawr/Llandeilo/Llangatwg Feibion Afel,
    Myn.
Craig Swffryd, *bryn*, Llanhiledd, Myn. 31/2199
Craig Wion, *m.*, Llanfair/Trawsfynydd, Meir. 23/6632
Craig y Bera, *clog.*, Llandwrog, Caern. 23/5354
Craig y Bychan, *clog.*, Llanycil, Meir. 23/8235
Craig y Deryn, *bryn*, Towyn, Meir. 23/6406
Craig y Dinas, *hyn.*, Llanddwywe-is-y-graig, Meir. 23/6223
           hyn., Llanllyfni, Caern. 23/4452
           bryn, Penderyn, Brych. 22/9108
Craig y Llyn, *clog.*, Blaen-gwrach/Y Rhigos, Morg. 22/9003
Craig-y-nos, *clog.*, *ysbyty*, Ystradgynlais, Brych. 22/8315
Craig y Pistyll, *clog.*, Ceulan-a-Maesmor, Cer. 22/7285
Craig yr Allt-goch, *bryn*, *cronfa ddŵr*, Llansanffraid 22/9069
    Cwmteuddwr, Maesd.
Craig yr Arian, *bryn*, *hyn.*, Llandrillo, Meir. 33/0136
Craig yr Hyrddod, *clog.*, Llanycil, Meir. 23/8237
Craig Ysgafn, *clog.*, Llanfrothen/Ffestiniog, Meir. 23/6544
Craig Ysgïog (**Ysgeiog**), *m.*, Llanfihangel-y- 23/6810
    Pennant, Meir.
Cray, *gw.* **Crai.**
Cregrina (**Craig Furuna**), *pl.*, Maesd. 32/1252
Creigiau, *p.*, Pen-tyrch, Morg. 31/0881
Creigiau Eglwyseg, *clog.*, Llangollen, Dinb. 33/2244
Creigiau Llwydion, *m.*, Gwytherin, Dinb. 23/8857
Creiglyn Dyfi, *ll.*, Llanymawddwy, Meir. 23/8622
Creignant, *ardal*, Glyntraean, Dinb. 33/2535

Creunant, Y, *p.*, Dulais Uchaf, Morg. 22/7904
Crib Goch, gw. **Grib Goch, Y.**
Crib y Ddysgl, *m.*, Caern. 23/6055
Cribyn, *p.*, Llanfihangel Ystrad, Cer. 22/5251
Cribyn Du, *clog.*, Cil-y-cwm, Caerf. 22/7548
Cricieth, *pl., t.*, Caern. 23/5038
Crickhowell, gw. **Crucywel.**
Criggion, gw. **Crugion.**
Crindai, *ardal*, Casnewydd, Myn. 31/3089
Crinow, gw. **Crynwedd.**
Crochan Llanddwyn, *hyn.*, Niwbwrch, Môn. 23/4064
Croes-faen, gw. **Groes-faen, Y.**
Croes-goch, *p.*, Llanrhian, Penf. 12/8230
Croes-lan, *p.*, Llangynllo/Llandysul, Cer. 22/3844
Croesor, *p.*, Llanfrothen, Meir. 23/6344
Croesyceiliog, *p.*, Llandyfaelog, Caerf. 22/4016
    p., Llanfrechfa, Myn. 31/3096
Croes-y-mwyalch, *ardal*, Llanfihangel Llantarnam, 31/3092
  Myn.
Croes-y-parc (**Cornel-y-parc**), *cp.*, Sain Nicolas, 31/0775
  Morg.
Crogen, *plas*, Llandderfel, Meir. 33/0036
Cronwern (**Crunwear**), *pl.*, Penf. 22/1710
Crosswood, gw. **Trawsgoed.**
Crucadarn, *pl., p.*, Brych. 32/0842
Crucornau Fawr (**Crucorney**), *pl.*, Myn. 32/3024
Crucywel (**Crickhowell**), *pl., t.*, Brych. 32/2118
Crucywel, *hyn.*, Crucywel/Llanbedr Ystrad Yw, 32/2220
  Brych.
Crug Eryr, *bryn, hyn.*, Llanfihangel Nant Melan, 32/1559
  Maesd.
Crugiau Ladis, *hyn.*, Cynwyl Gaeo/Cil-y-cwm, 22/7245
  Caerf.
Crugiau Rhos-wen, *hyn.*, Llanfihangel-ar-arth, 22/4833
  Caerf.
Crugion (**Criggion**), *p., plas*, Bausley, Tfn. 33/2915
Crug Llwyn-llwyd, *hyn.*, Aberteifi, Cer. 22/2048
Crug Perfa, *hyn.*, Llangeler, Caerf. 22/3534
Crugyn Gwyddel, *hyn.*, Llansanffraid Cwmteu- 22/9168
  ddwr, Maesd.
Crug-y-bar, *p.*, Cynwyl Gaeo, Caerf. 22/6537
Crug yr Afan, *hyn.*, Glyncorrwg, Morg. 21/9295
Crumlin, gw. **Crymlyn.**
Crunwear, gw. **Cronwern.**
Crwbin, *p.*, Llangyndeyrn, Caerf. 22/4713
Crwys, Y, (**Three Crosses**), *p.*, Llanrhidian Uchaf, 21/5794
  Morg.

Crychell, *n.*, Llananno, Maesd.	32/0775
Crygnant, *n.*, Llanbryn-mair, Tfn.	22/8896
Crymlyn, *p.*, Aber-carn/Llanhiledd, Myn.	34/2193
ardal, Coed-ffranc, Morg.	21/7093
Crymych (Arms), *p.*, Llanfyrnach/Llanfair	22/1833
Nant-gwyn, Penf.	
Cryngae, *ff.*, Llangeler, Caerf.	22/3439
Crynwedd (Crinow), *pl.*, *p.*, Penf.	22/1214
Cwar Blaenonnau, *clog.*, Llangynidr, Brych.	32/1516
Cwarter Bach, *pl.*, Caerf.	22/7216
Cwellyn, *ll.*, Betws Garmon, Caern.	23/5555
Cwm, *p.*, Glynebwy, Myn.	32/1805
Cwm, Y, *pl.*, *p.*, Ffl.	33/0677
Cwm Afan, *c.*, Glyncorrwg/Port Talbot, Morg.	21/8195
Cwmafan, *p.*, Port Talbot, Morg.	21/7892
Cwm Afon, *c.*, Abersychan/Blaenafon, Myn.	32/2705
Cwmafon, *p.*, Abersychan/Blaenafon, Myn.	32/2706
Cwm Aman, *c.*, Caerf.	22/6513
Cwmaman, *p.*, Aberdâr, Morg.	31/0099
pl., Caerf.	22/6714
Cwm Amarch, *c.*, Tal-y-llyn, Meir.	23/7110
Cwm-ann, *p.*, Pencarreg, Caerf.	22/5847
Cwm Aran, gw. **Cymaron.**	
Cwm Bach, *c.*, Breudeth, Penf.	12/8322
Cwm-bach, *p.*, Aberdâr, Morg.	32/0201
p., Clas-ar-Wy, Maesd.	32/1639
p., Llanelli, Caerf.	22/4801
p., Llanwinio, Caerf.	22/2525
Cwm Bargod, *c.*, Merthyr Tudful/Gelli-gaer,	32/0801
Morg.	
Cwmbelan, *p.*, Llangurig, Tfn.	22/9481
Cwmbrân, *p.*, Llanfihangel Llantarnam, Myn.	31/2994
Cwmbrân Uchaf, *p.*, Llanfrechfa, Myn.	31/2796
Cwmbwrla, *p.*, Abertawe, Morg.	21/6494
Cwm Bychan, *c.*, Beddgelert, Caern.	23/6046
c., Llanfair/Llanbedr, Meir.	23/6431
Cwmbychan (Cwmafan), *p.*, Port Talbot, Morg.	21/7892
Cwm Calch, *c.*, Llanbryn-mair, Tfn.	22/9199
Cwm Caregog, *c.*, Betws Garmon, Caern.	23/5952
Cwmcarfan, *p.*, Llanfihangel Troddi, Myn.	32/4707
Cwm-carn, *p.*, Aber-carn, Myn.	31/2293
Cwm Ceulan, *c.*, Ceulan-a-Maesmor, Cer.	22/6990
Cwm Cewydd, *c.*, Mallwyd/Llanymawddwy, Meir.	23/8713
Cwm Ciprwth, *c.*, Dolbenmaen, Caern.	23/5148
Cwm Cleisfer, *c.*, Llangynidr, Brych.	32/1417
Cwm Clydach, *c.*, Llanwynno, Morg.	31/0595
c., Rhyndwyglydach, Morg.	22/6804

Cwm Corrwg, *c.*, Glyncorrwg, Morg.	21/8899
Cwm-cou, *p.*, Bron-gwyn, Cer.	22/2942
Cwm Cynnen, *c.*, Llannewydd, Caerf.	22/3622
Cwmdâr, *p.*, Aberdâr, Morg.	22/9803
Cwm Du, *c.*, Betws Garmon, Caern.	23/5355
Cwm-du, *pl.*, Morg.	21/8691
p., Talyllychau, Caerf.	22/6330
Brych., gw. **Llanfihangel Cwm Du.**	
Cwmduad, *p.*, Cynwyl Elfed, Caerf.	22/3731
Cwmdulais, *ardal*, Llandeilo Tal-y-bont, Morg.	22/6103
Cwm Dulyn, *c.*, Llanllyfni/Clynnog, Caern.	23/4949
Cwm Dwythwch, *c.*, Llanberis, Caern.	23/5657
Cwm Dyli, *c.*, Beddgelert, Caern.	23/6354
Cwm Ddynhadog, *c.*, Dolwyddelan, Caern.	23/6850
Cwm Edno, *c.*, Dolwyddelan, Caern.	23/6651
Cwm Eigiau, *c.*, Caerhun, Caern.	23/6963
Cwm Einon, *c.*, Ysgubor-y-coed, Cer.	22/7094
Cwmerfyn, *ardal*, Trefeurig, Cer.	22/6983
Cwmergyr, *ardal*, Cwmrheidol, Cer.	22/7982
Cwmfelin, *p.*, Gelli-gaer, Morg.	32/0900
p., Llangynwyd, Morg.	21/8689
Cwmfelin-boeth, *p.*, Llanboidy, Caerf.	22/1919
Cwmfelin-fach, *p.*, Mynyddislwyn, Myn.	31/1891
Cwmfelinmynach, *p.*, Llanwinio, Caerf.	22/2224
Cwm Ffrwd, *c.*, Abersychan, Myn.	32/2505
Cwm-ffrwd, *eg.*, Llandyfaelog, Caerf.	22/4217
Cwmgïedd, *p.*, Ystradgynlais Isaf, Brych.	22/7811
Cwm-gors, *p.*, Llan-giwg, Morg.	22/7010
Cwm Gwaun, *c.*, Penf.	22/0035
Cwmgwili, *p.*, Llandybïe, Caerf.	22/5710
plas, Abergwili, Caerf.	22/4223
Cwm-gwrach, *p.*, Blaen-gwrach, Morg.	22/8605
Cwm Gwyn, *c.*, Llanfor, Meir.	23/9630
Cwm Haffes, *c.*, Ystradgynlais Uchaf/Glyntawe, Brych.	22/8317
Cwm-hir, *pl.*, *p.*, *abaty*, *plas*, Maesd.	32/0571
Cwm Hirnant, *c.*, Llanfor, Meir.	23/9430
Cwm Hwplyn, *c.*, Llanfihangel-ar-arth, Caerf.	22/4335
Cwmhywel, *plas*, Llan-non, Caerf.	22/5407
Cwmifor, *p.*, Llandeilo Fawr, Caerf.	22/6525
Cwm-iou, *p.*, Crucornau Fawr, Myn.	32/2923
Cwmisfael, *p.*, Llanddarog, Caerf.	22/4915
Cwm Llefrith, *c.*, Dolbenmaen, Caern.	23/5446
Cwmllethryd, *p.*, Pontyberem, Caerf.	22/4911
Cwm Lleucu (Cwm Lickey), *c.*, Pant-teg, Myn.	31/2698
Cwmlline, *p.*, Cemais, Tfn.	23/8407
Cwm Llwyd, *c.*, Llanuwchllyn, Meir.	23/8723

Cwmllygodig (*nid* **Cwmllecoediog**), *plas*, 23/8209
Caereinion Fechan, Meir.
Cwmllynfell, *p.*, Llan-giwg, Morg. 22/7412
Cwm Mafon, *c.*, Merthyr Tudful/Llanfabon, Morg. 31/0995
Cwm-mawr, *p.*, Llan-non/Llanarthne, Caerf. 22/5312
Cwm Meillionen, *c.*, Beddgelert, Caern. 23/5648
Cwm Nantcol, *c.*, Llanbedr/Llanenddwyn, Meir. 23/6326
Cwm Nant Meichiad, *c.*, Meifod, Tfn. 33/1215
Cwm Ogwr Fach, *c.*, Llandyfodwg/Llangrallo 21/9486
Uchaf, Morg.
        Fawr,*c.*,Llangeinwyr/Llandyfodwg, 21/9388–91
Morg.
Cwm Orthin, *c.*, Ffestiniog, Meir. 23/6746
Cwm-parc, *p.*, Rhondda, Morg. 21/9495
Cwm Penamnen, *c.*, Dolwyddelan, Caern. 23/7350
Cwm Penanner, *c.*, *ardal*, Cerrigydrudion, Dinb./ 23/9046
Llanfor, Meir.
Cwm-pen-graig, *p.*, Llangeler, Caerf. 22/3536
Cwm Penmachno, *c.*, *ardal*, Penmachno, Caern. 23/7547
Cwm Pennant, *c.*, Dolbenmaen, Caern. 23/5247
Cwmpennar, *p.*, Llanwynno, Morg. 32/0400
Cwm Prysor, *c.*, Trawsfynydd, Meir. 23/7335
Cwmrheidol, *pl.*, Cer. 22/7380
Cwm Rhiweirth, *c.*, Llangynog, Tfn. 33/0328
Cwm Rhondda, gw. **Rhondda.**
Cwmrhydyceirw, *p.*, Abertawe, Morg. 21/6699
Cwm Saerbren, *c.*, Rhondda, Morg. 21/9397
Cwm Selsig, *c.*, Rhondda, Morg. 21/9197
Cwm-sgwt (**Pwllhywel**), *ardal*, Pontypridd, Morg. 31/0591
Cwm Silyn, *c.*, Llanllyfni, Caern. 23/5150
Cwm Sychan, *c.*, Abersychan, Myn. 32/2304
Cwmsychban, *p.*, Llanwenog, Cer. 22/4746
Cwmsyfïog, *p.*, Bedwellte, Myn. 32/1502
Cwmsymlog, *ardal*, Trefeurig, Cer. 22/6983
Cwm Tafolog, *c.*, Cemais, Tfn. 23/8909
Cwmteuddwr, gw. **Llansanffraid Cwmteuddwr.**
Cwm Tirmynach, *c.*, Llanfor, Meir. 23/9042
Cwm Treweren, *c.*, Crai, Brych. 22/9125
Cwm Trwsgl, *c.*, Dolbenmaen, Caern. 23/5449
Cwmtudu, *cil.*, *ardal*, Llandysiliogogo, Cer. 22/3557
Cwm-twrch, *ardal*, Llanddewibrefi, Cer./Cynwyl 22/6850
Gaeo/Llan-y-crwys, Caerf.
        p., Llan-giwg, Morg./Ystradgynlais, 22/7610
Brych.
Cwmtyleri, *p.*, Abertyleri, Myn. 32/2105
Cwmtylo, *ff.*, Llanuwchllyn, Meir. 23/8434
Cwmwdig, *ff.*, Tyddewi, Penf. 12/8030

Cwm-y-glo, *p*., Llanrug, Caern. 23/5562
  p., Llanarthne, Caerf. 22/5513
Cwm yr Allt-lwyd, *c*., Trawsfynydd/Llanfachreth, 23/7829
 Meir.
Cwmyreglwys, *p*., Dinas, Penf. 22/0140
Cwm yr Haf, *c*., Dolbenmaen, Caern. 23/4946
Cwm Ystradllyn, *c*., Dolbenmaen, Caern. 23/5342
Cwmystwyth, *p*., Llanfihangel-y-Creuddyn Uchaf, 22/7973
 Cer.
Cwnsyllt (Coleshill), *ardal*, Y Fflint, Ffl. 33/2373
Cwrt Bryn-y-beirdd, *hyn*., Llandeilo Fawr, Caerf. 22/6618
Cwrt Colman, *plas*, Castellnewydd Uchaf, Morg. 21/8881
Cwrt-henri, *p*., Llangathen, Caerf. 22/5522
Cwrt Herbert, *ardal*, *plas*, Castell-nedd, Morg. 21/7497
Cwrtllechryd, *hyn*., Llanelwedd, Maesd. 32/0253
Cwrtnewydd, *p*., Llanwenog, Cer. 22/4847
Cwrtycadno, *ardal*, Cynwyl Gaeo, Caerf. 22/6944
Cwrtycarnau, *plas*, Llandeilo Tal-y-bont, Morg. 22/5700
Cwrt y Person, *hyn*., Meifod, Tfn. 33/1513
Cwrtyrala, *plas*, Llanfihangel-y-pwll, Morg. 31/1473
Cwys yr Ychen Bannog, *hyn*., Caron-uwch-clawdd/ 22/7261
 -is-clawdd, Cer.
Cydweli (Kidwelly), *pl*., *bd*., Caerf. 22/4006
Cyfarthfa, *ardal*, *plas*, Merthyr Tudful, Morg. 32/0407
Cyfronnydd, *ardal*, *ysgol*, Castell Caereinion, Tfn. 33/1408
Cynghordy, *ardal*, Llanfair-ar-y-bryn, Caerf. 22/8040
Cymaron (*nid* Cwm Aran), *ardal*, Llanddewi 32/1367
 Ystradenni, Maesd.
Cymau, *p*., *plas*, Llanfynydd, Ffl. 33/2955
Cymer, *abaty*, Llanelltud, Meir. 23/7219
Cymer, Y, *p*., Rhondda, Morg. 31/0290
   p., Glyncorrwg, Morg. 21/8696
Cyncoed, *ardal*, Caerdydd, Morg. 31/1979
Cynfal, *ardal*, Towyn, Meir. 23/6101
  ff., Ffestiniog, Meir. 23/7040
Cynffig, *pl*., *p*., *ll*., Morg. 21/8081
 hen *dref*, *ca*., Morg. 21/7982
Cynhawdre (*nid* Gwenhafdre), *ff*., Lledrod Uchaf, 22/6767
 Cer.
Cynheidre, *ff*., Llanelli, Caerf. 22/5007
Cynlas, *ff*., Llanfor, Meir. 23/9538
Cynllwyd, *ardal*, Llanuwchllyn, Meir. 23/9025
Cynwyd, *p*., Llangar, Meir. 33/0541
Cynwyl Elfed, *pl*., *p*., Caerf. 22/3727
Cynwyl Gaeo, *pl*., Caerf. 22/6742
Cyrniau Nod, *m*., Llanfor, Meir./Llangynog, Tfn. 23/9827
Cyrn y Brain, *m*., Llandegla, Dinb. 33/2149

Cytir, *llechwedd*, Llanymawddwy, Meir.		23/8715
Cywarch, *ardal*, Llanymawddwy, Meir.		23/8518

CH

Chwilog, *p.*, Llanystumdwy, Caern.		23/4338
Chwitffordd (Whitford), *pl., p.*, Ffl.		33/1478

D

Dafen, *p.*, Llanelli, Caerf.	22/5301
Dan yr Ogof, *ff.*, *ogofau*, Ystradgynlais, Brych.	22/8316
Darowen, *pl., p.*, Tfn.	23/8301
Darren* Ddu, Y, *clog.*, Llanymawddwy, Meir.	23/8920
clog., Tredegar, Myn.	32/1505
Darren Fach, Y, *clog.*, Y Faenor, Brych.	32/0210
Darren Fawr, Y, *clog.*, Llanddeti, Brych.	32/0816
Darren Felen, Y, *clog.*, Llanelli, Brych.	32/2212
Darren Lwyd, Y, *clog.*, Glyn-fach, Brych.	32/2333
Darren Widdon, Y, *clog.*, Cilybebyll, Morg.	22/7707
Daugleddyf, *a.*, *aber*, Penf.	22/0009
Dee R., gw. **Afon Dyfrdwy.**	
Defynnog (Devynock), *p.*, Maes-car, Brych.	22/9227
Degannwy, *p.*, Llan-rhos, Caern.	23/7779
Deiniolen, *p.*, Llanddeiniolen, Caern.	23/5863
Denbigh, gw. **Dinbych.**	
Deneio, *pl., eg.*, Caern.	23/3735
Deri, *p.*, Gelli-gaer, Morg.	32/1301
Derllys, *plas*, Llannewydd, Caerf.	22/3520
Derwen, *pl., p.*, Dinb.	33/0750
Derwen-fawr (Broad Oak), *ardal*, Llangathen, Caerf.	22/5822
Derwen-gam (Oakford), *p.*, Llannarth, Cer.	22/4558
Derwen-las, *p.*, Isygarreg, Tfn.	22/7299
Derwydd, *ardal*, Llandybïe, Caerf.	22/6117
Devil's Bridge, gw. **Pontarfynach.**	
Devynock, gw. **Defynnog.**	
Dewstow, gw. **Llanddewi.**	
Diffwys, *m.*, Llanddwywe-is-y-graig/Llanaber, Meir.	23/6623
Dihewyd, *pl., p.*, Cer.	22/4855
Dinas, *pl., p.*, Penf.	22/0138
p., Tre-lech a'r Betws, Caerf.	22/2730
p., Rhondda, Morg.	21/0091
Dinas Basing (Basingwerk), *abaty*, Treffynnon, Ffl.	33/1977
Dinas Brân, *ca.*, Llangollen, Dinb.	33/2243

* Gweler hefyd yr enwau ar ôl **Tarren.**
See also under **Tarren.**

Dinas Dinlle, *p.*, *hyn.*, Llandwrog, Caern.	23/4356
Dinas Dinoethwy, *hyn.*, Llanwnda, Caern.	23/4759
Dinas Emrys, *hyn.*, Beddgelert, Caern.	23/6049
Dinas Gynfor, *hyn.*, Llanbadrig, Môn.	23/3994
Dinas Mawddwy, *p.*, Mallwyd, Meir.	23/8514
Dinas Penmaen, *hyn.*, Dwygyfylchi, Caern.	23/7075
Dinas Powys, *p.*, Saint Andras, Morg.	31/1571
Dinbych (Denbigh), *sir*, *pl.*, *bd.*	33/0566
Dinbych-y-pysgod (Tenby), *bd.*, Llanfair, Penf.	22/1300
Dinefwr, *ca.*, Llandyfeisant, Caerf.	22/6121
plas, Llandyfeisant, Caerf.	22/6122
Dingestow, gw. **Llanddingad.**	
Dinllugwy, *hyn.*, Penrhosllugwy, Môn.	23/4986
Dinmael, *p.*, Llangwm, Dinb.	33/0044
Dinorben, *ardal*, Abergele, Dinb.	23/9674
Dinorwig, *p.*, Llanddeiniolen, Caern.	23/5961
Dinsylwy, gw. **Llanfihangel Dinsylwy.**	
Diserth (Dyserth), *pl.*, *p.*, Ffl.	33/0579
Diserth a Thre-coed, *pl.*, Maesd.	32/0256
Disgoed, *pl.*, *p.*, Maesd.	32/2764
Disgwylfa, *m.*, Ystradgynlais Isaf, Brych.	22/8117
Dolanog, *p.*, Llanfihangel-yng-Ngwynfa, Tfn.	33/0612
Dolarddun, *plas*, Castell Caereinion, Tfn.	33/1506
Dolau, *ardal*, Llanfihangel Rhydieithon, Maesd.	32/1467
Dolau Cothi, *plas*, Cynwyl Gaeo, Caerf.	22/6640
Dolbadarn, *ca.*, *plas*, Llanberis, Caern.	23/5859
Dolbenmaen, *pl.*, *p.*, Caern.	23/5043
Dolcorslwyn, *plas*, Cemais, Tfn.	23/8409
Doldowlod, *plas*, Nantmel, Maesd.	22/9962
Dolfonddu, *ff.*, Llanwrin, Tfn.	23/8306
Dolfor, *p.*, Ceri, Tfn.	32/1087
Dolgadfan, *ardal*, Llanbryn-mair, Tfn.	23/8800
Dolgarrog, *pl.*, *p.*, Caern.	23/7667
Dolgellau (Dolgelley), *pl.*, *t.*, Meir.	23/7217
Dôl-goch, *p.*, Towyn, Meir.	23/6504
Dolguog, *plas*, Penegoes, Tfn.	23/7601
Dolhendre, *ardal*, Llanuwchllyn, Meir.	23/8531
Dôl Ifan Gethin, *ff.*, Dolbenmaen, Caern.	23/5349
Dolmelynllyn, *plas*, Llanelltud, Meir.	23/7223
Dolobran, *plas*, Meifod, Tfn.	33/1112
Dolwar-fach, *ff.*, Llanfihangel-yng-Ngwynfa, Tfn.	33/0614
Dôl-wen, *p.*, Betws-yn-Rhos, Dinb.	23/8874
Dolwilym, *plas*, Cilymaenllwyd, Caerf.	22/1726
Dolwyddelan, *pl.*, *p.*, Caern.	23/7352
Dôl-y-bont, *p.*, Genau'r-glyn, Cer.	22/6288
Dôl-y-cae, *ardal*, Tal-y-llyn, Meir.	23/7211
Dôl-y-gaer, *hyn.*, Llanddeti, Brych.	32/0514

Domen* Ddu, *hyn.*, Llandinam, Tfn.   32/0282
Domen yr Allt, *hyn.*, Llanfyllin, Tfn.   33/1221
Dorwen ar Gïedd, *llechwedd*, Ystradgynlais Isaf,   22/8015
     Brych.
Dowlais, *t.*, Merthyr Tudful, Morg.   32/0608
Dre-fach, *p.*, Llanarthne, Caerf.   22/5213
     p., Llangeler, Caerf.   22/3538
     p., Llanwenog, Cer.   22/5045
Drefelin, *p.*, Llangeler, Caerf.   22/3637
Drenewydd, Y, (Newtown), *pl.*, *t.*, Tfn.   32/1091
Drenewydd Gelli-farch (Shirenewton), *pl.*, *p.*,   31/4793
     Myn.
Drenewydd yn Notais (Newton Nottage), *pl.*, *p.*,   21/8377
     Morg.
Drosgl, Y, *m.*, Llanfairfechan, Caern.   23/7071
     m., Aber/Llanllechid, Caern.   23/6668
Drosgol, gw. **Drysgol.**
Druid, gw. **Ddwyryd, Y.**
Drumau, Y, *plas*, Coed-ffranc, Mor.   21/7198
Drws Ardudwy, gw. **Bwlch Drws Ardudwy.**
Drws-y-coed, *bw.*, *ardal*, Llandwrog, Caern.   23/5453
Drws-y-nant, *bw.*, *ff.*, Llanuwchllyn/   23/8122–8426
     Brithdir ac Islaw'r-dref, Meir.
Drysgol, *m.*, Llandeilo, Fawr, Caerf.   22/6815
     m., Llanymawddwy, Meir.   33/8721
     m., Trefeurig Cer.   22/7587
Dryslwyn, *ardal*, *ca.*, Llangathen, Caerf.   22/5520
Duffryn, gw. **Dyffryn.**
Dugoedydd, *ff.*, Llanfair-ar-y-bryn, Caerf.   22/7741
Dulais Isaf, *pl.*, Morg.   22/7704
Dulais Uchaf, *pl.*, Morg.   22/8106
Dulyn, *ll.*, Caerhun, Caern.   23/7066
Dunvant, gw. **Dynfant.**
Dwn-rhefn (Dunraven), *plas*, Saint-y-brid, Morg.   21/8872
Dwygyfylchi, *pl.*, *p.*, Caern.   23/7377
Dwyran, *p.*, Llangeinwen, Môn.   23/4465
Dyfngwm, *mwyn.*, Penegoes, Tfn.   22/8493
Dyffryn, *p.*, Llanenddwyn, Meir.   23/5823
     p., Llangynwyd Uchaf, Morg.   21/8593
     p., Merthyr Tudful, Morg.   32/0603
     pl., Myn.   31/2884
Dyffryn Clydach, *pl.*, Morg.   21/7299
Dyffryndywarch, *ff.*, Mathri, Penf.   12/8833
Dyffryn Edeirnion, *d.*, Corwen, Meir.   33/0743
Dyffryn Golych, *plas*, Sain Nicolas, Morg.   31/0972

* Gweler hefyd yr enwau ar ôl **Tomen.**
See also under **Tomen.**

Dyffryn Nantlle, *d.*, Llandwrog, Caern.		23/5052
Dyffryn Tanad, *d.*, Tfn.		33/0924
Dylais, gw. **Dulais.**		
Dylife, *p.*, Penegoes, Tfn.		22/8694
Dynevor, gw. **Dinefwr.**		
Dynfant (Dunvant), *p.*, Abertawe/Llanrhidian/		21/5993
Tre-gŵyr, Morg.		
Dyrysgol, gw. **Drysgol.**		
Dyserth, gw. **Diserth.**		
Dywalwern, gw. **Tafolwern.**		

DD

Ddraenen Wen, Y, (Hawthorn), *p.*, Pontypridd,		31/0987
Morg.		
Dduallt, Y, *m.*, Trefeglwys, Tfn.		22/8890
m., Llanfachreth/Llanuwchllyn, Meir.		23/8027
ff., Ffestiniog, Meir.		23/6741
Ddwyryd, Y, (*nid* **Druid**), *p.*, Corwen, Meir.		33/0443

E

Eastern Cleddau, gw. **Afon Cleddy Ddu.**		
East Mouse, gw. **Ynys Amlwch.**		
Ebbw Vale, gw. **Glynebwy.**		
Edern, *p.*, Nefyn, Caern.		23/2739
Edeyrnion, gw. **Dyffryn Edeirnion.**		
Ednol, *pl.*, Maesd.		32/2264
Edwinsford, gw. **Rhydodyn.**		
Efail-fach, *p.*, Llanfihangel-ynys-Afan, Morg.		21/7895
Efailisaf, *p.*, Llanilltud Faerdref, Morg.		31/0884
Efailnewydd, *p.*, Llannor, Caern.		23/3535
Efenechdyd (Y Fenechdid), *pl.*, *p.*, Dinb.		33/1155
Eglwys-bach, *pl.*, *p.*, Dinb.		23/8070
Eglwys Brewys, *pl.*, *eg.*, Morg.		31/0069
Eglwyscummin, gw. **Eglwys Gymyn.**		
Eglwyseg, *ardal*, Llangollen, Dinb.		33/2147
Eglwys-fach, *p.*, Ysgubor-y-coed, Cer.		22/6895
Eglwys Fair a Churig, *eg.*, Cilymaenllwyd, Caerf.		22/2026
Eglwys Fair y Mynydd (St. Mary Hill), *pl.*, *p.*,		21/9678
Morg.		
Eglwys Gymyn, *pl.*, *eg.*, Caerf.		22/2310
Eglwysilan, *pl.*, Morg.		31/1288
Eglwys Lwyd, Yr, (Ludchurch), *pl.*, *eg.*, Caerf.		22/1410
Eglwys Newydd, Yr, *pl.*, *p.*, Maesd.		32/2150
pl., *p.*, Morg.		31/1580

41

Eglwys Newydd ar y Cefn, Yr, (Newchurch), 31/4597
eg., Devauden, Myn.
Eglwys Nynnid, *ardal,* Port Talbot, Morg. 21/8084
Eglwys-rhos, gw. **Llan-rhos.**
Eglwys Wen (Whitechurch), *pl., eg.,* Penf. 22/1535
Eglwyswrw, *pl., p.,* Penf. 22/1438
Eglwys Wythwr (Monington), *pl.,* Penf. 22/1343
Eglwys y Drindod (Christchurch), *pl., p.,* Myn. 31/3489
Egrmwnt (Egremont), *plas,* Llandysilio, Caerf. 22/0920
Egryn, *ardal, abaty,* Llanaber, Meir. 23/5920
Eidda, *pl.,* Caern. 23/8047
Eifl, Yr, *m.,* Pistyll/Llanaelhaearn, Caern. 23/3645
Eisingrug, gw. **Singrug.**
Eisteddfa Gurig, *ff.,* Cwmrheidol, Cer. 22/7984
Elan, Yr, *m.,* Llanllechid, Caern. 23/6765
Elerch, *p.,* Ceulan-a-Maesmor, Cer. 22/6886
Elidir Fach, *m.,* Llanberis/Llanddeiniolen, Caern. 23/6061
        Fawr, *m.,* Llanberis/Llanddeiniolen, Caern. 23/6060
Elwyn, *n., ff.,* Llanwinio, Caerf. 22/2328
Ely, gw. **Trelái.**
Erbistog (Erbistock), *pl., p.,* Dinb. 33/3541
Erddig, *pl., plas,* Dinb. 33/3248
Ergyd Isaf, *hyn.,* Port Talbot, Morg. 21/7988
        Uchaf, *hyn.,* Port Talbot, Morg. 21/8088
Eryrys, *p.,* Llanarmon-yn-Iâl, Dinb. 33/2057
Esgairdawe, *ardal,* Pencarreg, Caerf. 22/6140
Esgair Ddu, *m.,* Cemais, Tfn. 23/8710
Esgair Elan, *m.,* Ysbyty Ystwyth, Cer. 22/8374
Esgair Fraith, *m.,* Caron-is-clawdd, Cer. 22/7157
        mwyn, Ceulan-a-Maesmor, Cer. 22/7391
Esgair Garthen, *m.,* Llanwrthwl, Brych. 22/8264
Esgairgeiliog, *p.* Llanwrin, Tfn. 23/7505
Esgair Irfon, *m.,* Llanfihangel Abergwesyn, Brych. 22/8454
Esgair Llwyn-gwyn, *m.,* Llangurig, Tfn. 22/8879
Esgair-mwyn, *ardal,* Gwnnws Uchaf, Cer. 22/7569
Esgair Nantau, *m.,* Llanfihangel Nant Melan, 32/1762
Maesd.
Esgair y Groes, *m.,* Trefeglwys, Tfn. 22/9593
Esgair y Maes, *m.,* Llangadfan, Tfn. 23/9511
Euarth, *plas,* Llanfair Dyffryn Clwyd, Dinb. 33/1254
Eutun (Eyton), *p., plas,* Erbistog, Dinb. 33/3345
Ewenni, *pl., p.,* Morg. 21/9077
Eweston, gw. **Trewên.**

F

Fachelych, *ardal,* Tre-groes, Penf. 12/7825

Fach-wen, Y, *p.*, Llanddeiniolen, Caern.	23/5761
Faenor, Y, (Vaynor), *pl.*, *p.*, Brych.	32/0510
Faenor Gaer, *hyn.*, Llanhuadain, Penf.	22/0917
Faenor Uchaf, *pl.*, Cer.	22/6182
Faerdre, *p.*, Rhyndwyglydach, Morg.	22/6901
Fairbourne, gw. **Friog, Y.**	
Fairwater, gw. **Tyllgoed.**	
Fan, Y, *p.*, Llanidloes, Tfn.	22/9487
pl., *ardal*, *ca.*, Morg.	31/1686
Fan Bwlch Chwyth, *m.*, Crai/Senni, Brych.	22/9121
Fan Fawr, Y, *m.*, Ystradfellte/Glyn, Brych.	22/9618
Fan Fraith, *m.*, Crai, Brych.	22/8818
Fan Frynych, *m.*, Glyn, Brych.	22/9522
Fan Gyhirych, *m.*, Crai, Brych.	22/8818
Fan Hir, *m.*, Traean-glas, Brych.	22/8319
Fan Llia, *m.*, Ystradfellte, Brych.	22/9318
Fan Nedd, *m.*, Senni, Brych.	22/1891
Farteg, Y, *bryn*, Cilybebyll, Morg.	22/7707
p., Abersychan, Myn.	32/2606
Felindre, *p.*, Bugeildy, Maesd.	32/1681
p., Llangadog, Caerf.	22/7027
p., Llangathen, Caerf.	22/5521
p., Llangeler, Caerf.	22/3538
p., Llangyfelach/Mawr, Morg.	22/6302
pl., (Tre-goed a Felindre), *p.*, Brych.	32/1836
Felin-fach, *p.*, Llanfihangel Ystrad, Cer.	22/5255
p., Talach-ddu/Llanfilo, Brych.	32/0933
Felin-foel, *p.*, Llanelli, Caerf.	22/5102
Felin-frân, *ardal*, Abertawe, Morg.	21/6998
Felinganol (Middle Mill), *p.*, Tre-groes, Penf.	12/8025
Felin-gwm-isaf, *p.*, Llanegwad, Caerf.	22/5023
Felin-gwm-uchaf, *p.*, Llanegwad, Caerf.	22/5024
Felinheli, Y, (Port Dinorwic), *t.*, Llanfair-is-gaer, Caern.	23/5267
Felin-wen, *p.*, Abergwili, Caerf.	22/4621
Fenni, Y, (Abergavenny), *pl.*, *bd.*, Myn.	32/2914
Fenni-fach, Y, *pl.*, Brych.	32/0230
Ferryside, gw. **Glanyferi.**	
Ferwig, Y, (Verwick), *pl.*, *p.*, Cer.	22/1849
Fign, Y, *ll.*, Llanuwchllyn, Meir.	23/8329
Filltir Aur, Y, (Golden Mile), Tregolwyn, Morg.	21/9576
Fishguard, gw. **Abergwaun.**	
Flemingston (Flimston), gw. **Trefflemin.**	
Flint, gw. **Fflint, Y.**	
Fochriw, *p.*, Gelli-gaer, Morg.	32/1005

Foel,* Y, *bryn, hyn.*, Clynnog, Caern.	23/4550
p., Llangadfan, Tfn.	23/9911
Foel Benddin, *m.*, Mallwyd/Llanymawddwy, Meir.	23/8516
Foel Boeth, *m.*, Trawsfynydd/Llanuwchllyn, Meir.	23/7834
m., Llanfor, Meir.	23/8642
Foel Cnwch, *m.*, Llanelltud/Llanfachreth, Meir.	23/7320
Foel Cwmcerwyn, *m.*, Llandeilo, Penf.	22/0931
Foel Chwern, Y, *hyn.*, Blaen-gwrach, Morg.	22/8903
Foel Drygarn, *m.*, Eglwys Wen, Penf.	22/1533
Foel Dyrch, *m.*, Mynachlog-ddu, Penf.	22/1530
Foel Ddu, *m.*, Eidda, Dinb.	23/8147
m., Brithdir ac Islaw'r-dref, Meir.	23/8323
m., Llanbedr, Meir.	23/6328
m., Llanfachreth, Meir.	23/8124
clog., Tal-y-llyn, Meir.	23/6909
Foel Eryr, *m.*, Nyfer, Penf.	22/0632
Foel Fawr, *bryn*, Llanengan/Llanbedrog, Caern.	23/3031
m., Trefeglwys, Tfn.	22/8990
Foel Feddau, *m.*, Nyfer/Mynachlog-ddu, Penf.	22/1032
Foel Feliarth, gw. **Moel Feliarth.**	
Foel Fenlli, *m.*, *hyn.*, Llanbedr Dyffryn Clwyd, Dinb.	33/1660
Foel Figenau, *m.*, Llanuwchllyn/Llangywer, Meir.	23/9128
Foel Fras, *m.*, Ffestiniog, Meir./Dolwyddelan, Caern.	23/7248
m., Aber/Caerhun, Caer.	23/6967
Foel Frech, *m.*, Tir Ifan/Cerrigydrudion, Dinb.	23/8746
Foelgastell, *p.*, Llanarthne, Caerf.	22/5414
Foel Gasydd, *m.*, Llanrhaeadr-yng-Nghinmeirch, Dinb.	33/0262
Foel Goch, *m.*, Betws Garmon/Llanberis, Caern.	23/5656
m., Llanfair Talhaearn, Dinb.	23/9060
bryn, Nyfer, Penf.	22/0743
m., Tir Ifan, Dinb.	23/8645
Foel Gopyn, *m.*, Eidda, Caern.	23/8248
Foel Grach, *m.*, Llanllechid/Caerhun, Caern.	23/6865
Foel Greon, *m.*, Bylchau, Dinb.	23/9763
Foel Gron, *m.*, Betws Garmon/Llanberis, Caern.	23/5656
Foel Gurig, *m.*, Llangurig, Tfn.	22/9178
Foel Isbri, *m.*, Llanelltud, Meir.	23/7020
Foel Las, *hyn.*, Pentrefoelas, Dinb.	23/8752
Foel Mallwyd, *m.*, Mallwyd, Meir./Caereinion Fechan, Tfn.	23/8711
Foel Offrwm, *m.*, Llanfachreth, Meir.	23/7420
Foel Rudd, *m.*, Llanuwchllyn, Meir.	23/8924
m., Penmachno, Caern.	23/7645

* Gweler hefyd yr enwau ar ôl **Moel.**
See also under **Moel.**

Foel Rhiwlas, *m.*, Llansilin, Dinb. 33/2032
Foel Wen, *m.*, Llanarmon Dyffryn Ceiriog/ 33/0933
   Llanrhaeadr-ym-Mochnant, Dinb.
   m. Tir Ifan, Dinb. 23/8143
Foel Wylfa, *m.*, Llansilin, Dinb. 33/1933
Foel y Belan, *bryn*, Llanwnnog, Tfn. 22/9993
Foel y Geifr, *m.*, Llangywer/Llanfor/Llanuwchllyn, 23/9327
   Meir.
Foel y Gwynt, *m.*, Corwen, Meir. 33/1040
Foel yr Hydd, *m.*, Llanymawddwy, Meir. 23/8716
Fonmon, gw. **Ffwl-y-mwn.**
Forden, gw. **Ffordun.**
Forlan, Y, *pl.*, *ff.*, *hyn.*, Penf. 22/0724/0826
Foryd, Y, *b.*, *ff.*, Llanwnda, Caern. 23/4459
   ardal, Abergele, Dinb. 23/9980
Four Roads, gw. **Pedair-hewl.**
Frenni Fach, Y, *bryn*, Penrhydd/Clydau, Penf. 22/2234
   Fawr, Y, *m.*, Penrhydd/Llanfihangel 22/2034
   Penbedw, Penf.
Friog, Y, (**Fairbourne**), *p.*, Llangelynnin, Meir. 23/6112
Fron, *p.*, Brymbo, Dinb. 33/2952
Froncysylltau (**Vroncysyllte**), *p.*, Llangollen, 33/2640
   Dinb.
Fron-deg, Y, *p.*, *ardal*, Esclusham, Dinb. 33/2749
Fron-goch, *p.*, Llanfor, Meir. 23/9039

FF

Ffair-fach, *p.*, Llandeilo Fawr, Caerf. 22/6221
Ffair-rhos, *p.*, Gwnnws Uchaf, Cer. 22/7368
Ffaldau, *ff.*, Aberdâr, Morg. 21/9997
Ffaldybrenin, *p.*, Llan-crwys, Caerf. 22/6344
Ffarmers, *p.*, Cynwyl Gaeo, Caerf. 22/6544
Ffestiniog, *pl.*, *p.*, Meir. 23/7041
Fflint, Y, *sir*, *bd.*, *pl.* 33/2473
Ffon-mon, gw. **Ffwl-y-mwn.**
Ffontygari, *b.*, *ardal*, Pen-marc, Morg. 31/0566
Fforchaman, *cymer*, Cwarter Bach, Caerf. 22/7415
Fforchegel, *ff.*, Llan-giwg, Morg. 22/7309
Fforchorci, *ff.*, Rhondda, Morg. 21/9598
Ffordun (**Forden**), *pl.*, *p.*, Tfn. 33/2200
Ffordd Gamelin, *hyn.*, Llandrillo, Meir. 33/0635
Ffordd Saeson, *hyn.*, Llangadwaladr/Llanarmon 33/1536
   Dyffryn Ceiriog, Dinb.
Ffordd y Gyfraith, *hyn.*, Llangynwyd/Trelales, 21/8683
   Morg.

45

Fforest, Y, *p.*, Llanedi, Caerf.   22/5804
Fforest, *bryn*, Trefeglwys, Tfn.   22/9490
Fforest-fach, *p.*, *ardal*, Abertawe, Morg.   21/6395
Fforest Fawr, *m.*, Brych.   22/8219–9619
Fforest-goch, *ardal*, Cilybebyll, Caerf.   22/7401
Ffostrasol, *p.*, Llandysul/Llangynllo, Cer.   22/3747
Ffosybleiddiaid, *ff.*, Lledrod Uchaf, Cer.   22/6867
Ffos-y-ffin, *p.*, Henfynyw, Cer.   22/4460
Ffridd Bryn-coch, *ff.*, Llanddwywe-uwch-y-graig,   23/7028
Meir.
Ffridd Cwm Hesgin, *llethr*, Llanfor, Meir.   23/8741
Ffridd Faldwyn, *bryn*, Trefaldwyn, Tfn.   23/2197
Ffridd Ganol, *m.*, Llanbryn-mair, Tfn.   23/9208
Ffrith, Y *p.*, Llanfynydd, Ffl.   33/2855
Ffrwd-fâl, *ff.*, Cynwyl Gaeo, Caerf.   22/6438
Ffrwd Wen, *a.*, Cwm-hir/Llananno, Maesd.   32/0574
Ffwl-y-mwn (**Ffon-mon**) (**Fonmon**), *plas*, *p.*, *ff.*,   31/0467
Pen-marc, Morg.
Ffynhonnau, *plas*, Maenordeifi, Penf.   22/2438
Ffynnon Allgo, *hyn.*, Llanallgo, Môn.   23/4984
Ffynnon Bedr (**Peterwell**)**,** *hyn.*, Llanbedr Pont   22/5747
Steffan, Cer.
Ffynnon Cegin Arthur, *hyn.*, Llanddeiniolen, Caern.   23/5564
Ffynnon Deilo, *hyn.*, Pendeulwyn, Morg.   31/0676
Ffynnon Derfel, *hyn.*, Llandderfel, Meir.   23/9737
Ffynnon Dogfan, *hyn.*, Llanwddyn, Tfn.   23/9822
Ffynnonddewi, *p.*, Llandysiliogogo, Cer.   22/3852
Ffynnon-ddofn, *ff.*, Nyfer, Penf.   22/0541
Ffynnon-ddrain, *p.*, Sain Pedr, Caerf.   22/4021
Ffynnon Ddygfael, *hyn.*, Llanfechell, Môn.   23/3590
Ffynnon Eilian, *hyn.*, Llaneilian, Môn.   23/4693
Ffynnon Faglan, *hyn.*, Llanfaglan, Caern.   23/4560
Ffynnon Garmon, *hyn.*, Llanfechain, Tfn.   33/1920
Ffynnongroyw, *p.*, Llanasa, Ffl.   33/1382
Ffynnonhenri, *cp.*, Cynwyl Elfed, Caerf.   22/3930
Ffynnon Illog, *hyn.*, Hirnant, Tfn.   33/0423
Ffynnon Lloer, *ll.*, Capel Curig, Caern.   23/6662
Ffynnon Llugwy, *ll.*, Capel Curig, Caern.   23/6962
Ffynnon Maenmilgi, *cors*, Llandrillo, Meir.   33/0634
Ffynnon Sulien, *hyn.*, Corwen, Meir.   33/0644
Ffynnon Taf (**Taff's Well**)**,** *p.*, Eglwysilan, Morg.   31/1283
Ffynnon Trillo, *hyn.*, Llandrillo, Meir.   33/0337

G

Gabalfa, *ardal*, Caerdydd, Morg.   31/1679
     plas, Cleirwy, Maesd.   32/2346

Gadlys, Y, *p.*, Aberdâr, Morg.	22/9902
Gaer, Y, *hyn.*, Crai, Brych.	22/9226
hyn., Meifod, Tfn.	33/2015
hyn., Sain Nicolas, Morg.	31/0874
Gaer Fach, *hyn.*, Merthyr Cynog, Brych.	32/0036
Gaer Fawr, *hyn.*, Merthyr Cynog, Brych.	32/0238
Gaer-lwyd, *p.*, Drenewydd Gelli-farch, Myn.	31/4496
Gaerwen, Y, *p.*, Llanfihangel Ysgeifiog, Môn.	23/4871
Galltfaenan, *plas*, Trefnant, Dinb.	33/0269
Gallt* yr Ogof, *clog.*, Capel Curig, Caern.	23/6858
Gamriw, Y, *m.*, Llanwrthwl, Brych.	22/9461
Ganllwyd, Y, *p.*, Llanelltud, Meir.	23/7224
Garn,† **Y,** *hyn.*, Betws Garmon/Llandwrog/	23/5552
Llanllyfni, Caern.	
hyn., Caron-is-clawdd, Cer.	22/7360
hyn., Melindwr, Cer.	22/7785
m., Llanberis/Llandygái, Caern.	23/6359
Garn, Y, (Roch), *pl.*, *p.*, *ca.*, Penf.	12/8821
Garnant, Y, *p.*, Cwmaman, Caerf.	22/6913
Garn Bach, *m.*, Tudweiliog, Caern.	23/2834
Garn Bentyrch, *hyn.*, Llanystumdwy, Caern.	23/4241
Garnbica, *ff.*, Llandybïe, Caerf.	22/6316
Garn Bica, Y, *hyn.*, Rhondda, Morg.	22/9400
Garn Boduan, *m.*, *hyn.*, Buan, Caern.	23/3139
Garndiffaith, *p.*, Abersychan, Myn.	32/2604
Garndolbenmaen, *p.*, Dolbenmaen, Caern.	23/4944
Garndwyran, *ff.*, Treletert, Penf.	12/9431
Garnedd, Y, *hyn.*, Llanbryn-mair, Tfn.	23/8900
Garnedd Fawr, *m.*, Llangwm, Dinb./Llanfor, Meir.	23/9342
Garnedd Wen, *hyn.*, Llandrillo, Meir.	33/0035
Garnedd-wen, *ff.*, Tal-y-llyn, Meir.	23/7608
ardal, Ysgeifiog, Ffl.	33/1770
Garn Fadrun, *m.*, Tudweiliog, Caern.	23/2735
Garnfadrun, *p.*, Tudweiliog, Caern.	23/2834
Garn Fawr, *hyn.*, Caron-is-clawdd, Cer.	22/7057
Garn Felen, *hyn.*, Caron-is-clawdd/Llanddewibrefi,	22/7056
Cer.	
Garn Folch, *bryn*, Llanwnda, Penf.	12/9139
Garn Goch, Y, *bryn*, *hyn.*, Llangadog, Caerf.	22/6824
hyn., Glyncorrwg/Rhondda, Morg.	22/9001
hyn., Ystradgynlais Isaf, Brych.	22/8110
Garn Lwyd, *hyn.*, Llan-giwg, Morg.	22/7207
Garn-swllt, *p.*, Mawr, Morg.	22/6208–9

* Gweler hefyd yr enwau ar ôl **Allt.**
See also under **Allt.**

† Gweler hefyd yr enwau ar ôl **Carn.**
See also under **Carn.**

47

Garreg, *p.*, Llanfrothen, Meir.	23/6141
Garreg-ddu, *cronfa ddŵr*, Llansanffraid Cwmteu-ddwr, Maesd.	22/9164
Garreg Fraith, *m.*, Cwarter Bach, Caerf.	22/7117
Garreg Goch, *clog.*, Ystradgynlais Isaf, Brych.	22/8116
Garreg Lwyd, *clog.*, Ystradgynlais Uchaf, Brych.	22/8615
Garreg-wen, *ff.*, Ynyscynhaearn, Caern.	23/5637
Garth, *p.*, Llangollen, Dinb.	33/2542
p., Treflys, Brych.	22/9449
Garthbeibio, *pl.*, Tfn.	23/9812
Garthbrengi, *pl.*, Brych.	32/0433
Gartheli, *pl.*, *p.*, Cer.	22/5856
Garthewin, *plas*, Llanfair Talhaearn, Dinb.	23/9170
Garthgellin, *ardal*, Betws Cedewain, Tfn.	32/1296
Garthgynfor, *ff.*, Dolgellau, Meir.	23/7318
Garth Heilyn, *ff.*, Ceri, Tfn.	32/0986
Garthmeilio, *ff.*, Llangwm, Dinb.	23/9544
Garthmyl, *p.*, *plas*, Aberriw, Tfn.	32/1999
Garwfynydd, *m.*, Llanfor, Meir.	23/9440
Gelli, *ardal*, Llanhuadain, Penf.	22/0819
Gelli, Y, *p.*, Rhondda, Morg.	21/9794
Gelli (Gandryll), Y, (Hay), *pl.*, *t.*, Brych.	32/2242
Gelli-aur (Golden Grove), *plas*, Llanfihangel Aberbythych, Caerf.	22/5919
Gellidochlaethe, *plas*, Dulais Uchaf, Morg.	22/7906
Gellidywyll, *plas*, Llanbryn-mair, Tfn.	22/8898
Gellifelen, *p.*, Llanelli, Brych.	32/2111
Gellifor, *p.*, Llangynhafal, Dinb.	33/1262
Gelli-gaer, *pl.*, *p.*, Morg.	31/1396
Gelli-groes, *p.*, Mynyddislwyn, Myn.	31/1794
Gelli-gron, *ff.*, Rhyndwyglydach, Morg.	22/7104
Gellilydan, *p.*, Maentwrog, Meir.	23/6839
Gellilyfdy, *ff.*, Ysgeifiog, Ffl.	33/1473
Gelli-nudd, *p.*, Cilybebyll, Morg.	22/7304
Gellïoedd, *ardal*, Llangwm, Dinb.	23/9344
Gellionnen, gw. **Mynydd Gellionnen.**	
Gelli'r-fid, *ff.*, Llandyfodwg, Morg.	21/9487
Gelli-wen, *p.*, Tre-lech a'r Betws, Caerf.	22/2723
Genau'r-glyn, *pl.*, Cer.	22/6288
Gerlan, *p.*, Bethesda, Caern.	23/6366
Gesailgyfarch, Y, *ff.*, Dolbenmaen, Caern.	23/5441
Geuallt, Y, *clog.*, Beddgelert, Caern.	23/6051
Geuffordd, *p.*, Cegidfa, Tfn.	33/2114
Gïas, *m.*, Llangurig, Tfn.	22/8686
Giler, Y, *ff.*, Cerrigydrudion, Dinb.	23/8849
Gileston, gw. **Silstwn.**	
Gilfach (Fargod), *p.*, Gelli-gaer, Morg.	31/1598

Gilfach-goch, Y, *p.*, Llandyfodwg/Llantrisant, Morg.	21/9889
Gilfachreda, *p.*, Llanina, Cer.	22/4058
Gilfach-wen, *plas*, Llandysul, Cer.	22/4040
Gilfachyrheol, *ff.*, Yr Eglwys Newydd, Maesd.	32/2150
Gilwern, *p.*, Llanelli, Brych.	32/2414
Gladestry, gw. **Llanfair Llythynwg.**	
Glais, Y, *p.*, Abertawe/Ynysymwn, Morg.	22/7000
Glanadda, *p.*, Bangor, Caern.	23/5770
Glanaman, *p.*, Cwmaman, Caerf.	22/6713
Glan-bad (Upper Boat), *p.*, Pontypridd, Morg.	31/1087
Glanbrân, *plas*, Llanfair-ar-y-bryn, Caerf.	22/7938
Glanbrydan, *plas*, Llandeilo Fawr, Caerf.	22/6626
Glanconwy, gw. **Llansanffraid Glan Conwy.**	
Glandŵr (Landore), *ardal*, Abertawe, Morg.	22/6596
Glandŵr, *p.*, Llanfyrnach, Penf.	22/1928
ardal, Treamlod, Penf.	12/9825
Glandyfi, *p.*, Ysgubor-y-coed, Cer.	22/6996
Glanelái, *plas*, Llanharan, Morg.	31/0382
Glanfrogan, *ff.*, Llanfechain, Tfn.	33/1818
Glangrwyney, gw. **Llangrwyne.**	
Glanieithon, *ff.*, Llanfihangel Helygen, Maesd	32/0563
Glan-llyn, *plas, ardal*, Llanuwchllyn, Meir.	23/8831
p., Eglwysilan, Morg.	31/1284
Glanmawddach, *ff.*, Llanaber, Meir.	23/6316
Glan-miwl, *ardal*, Ceri, Tfn.	32/1690
Glan-rhyd, *p.*, Llanwnda, Caern.	23/4758
p., Buan, Caern.	23/2838
Glansefin, *plas*, Llangadog, Caerf.	22/7328
Glan-tren, *ff.*, Llanybydder, Caerf.	22/5242
Glanyferi (Ferryside), *p.*, Llanismel, Caerf.	22/3610
Glan-y-gors, *ff.*, Cerrigydrudion, Dinb.	23/9349
Glanyrafon, *p.*, Cilcain, Ffl.	33/1967
p., Llanasa, Ffl.	33/1181
Glanyrannell, *plas*, Talyllychau, Caerf.	22/6437
Glasbury, gw. **Clas-ar-Wy, Y.**	
Glasbwll, *ardal*, Isygarreg, Tfn.	22/7397
Glasfryn, *p.*, Cerrigydrudion, Dinb.	23/9150
Glasgoed, *ardal*, Llanbadog Fawr, Myn.	32/3201
p., Llanrug, Caern.	23/5464
Glasgwm, *pl., p.*, Maesd.	32/1553
plas, Penmachno, Caern.	23/7750
Glasinfryn, *p.*, Pentir, Caern.	23/5868
Glaslyn, *ll.*, Penegoes, Tfn.	22/8294
Gleiniant, *p.*, Trefeglwys, Tfn.	22/9791
Gloddaith, *plas*, Llandudno, Caern.	23/8080

Glog, Y, *ardal*, Llanfyrnach/Clydau, Penf.	22/2132
m., Llanfyllin/Llanrhaeadr-ym-Mochnant, Tfn.	33/0920
m., Ceri, Tfn.	32/0985
Gloywlyn, *ll.*, Llanbedr, Meir.	23/6429
Gluder (Glyder) Fach, *m.*, Capel Curig, Caern.	23/6558
Fawr, *m.*, Llanberis/Llandygái/ Capel Curig, Caern.	23/6457
Glyn, *pl.*, Brych.	22/9621
Glynarthen, *p.*, Penbryn, Cer.	22/3148
Glyn Ceiriog, gw. **Llansanffraid Glynceiriog.**	
Glyncorrwg, *pl.*, *p.*, Morg.	21/8799
Glyn (Cywarch), *plas*, Talsarnau, Meir.	23/6034
Glyndyfrdwy, *p.*, Corwen, Meir.	33/1542
Glynebwy (Ebbw Vale), *pl.*, *t.*, Myn.	32/1706
Glynegwestl (Valle Crucis), *abaty*, Llandysilio-yn-Iâl, Dinb.	33/2044
Glyn-fach, *pl.*, Brych.	32/2432
Glyn-hir, *plas*, Llandybïe, Caerf.	22/6315
ardal, Llandeilo Tal-y-bont, Morg.	22/5904
Glynllifon, *plas*, Llandwrog Caern.	23/4555
Glyn-nedd, *p.*, Nedd Uchaf, Morg.	22/8806
Glyn-taf, *p.*, Pontypridd, Morg.	31/0889
Glyn Tarell, *ardal*, Glyn, Brych.	22/9722
Glyntawe, *pl.*, *p.*, Brych.	22/8416
Glyntraean, *pl.*, Dinb.	33/2235
Glyntrefnant, *ardal*, Trefeglwys, Tfn.	22/9192
Glyn-y-groes (Llanegwest) (Vale Crucis), *abaty*, Llandysilio-yn-Iâl, Dinb.	33/2044
Godir-y-bwch, *clog.*, Nyfer, Penf.	22/0542
Godre'r-graig, *p.*, Llan-giwg, Morg.	22/7506
Goetre, Y, *p.*, Abertawe, Morg.	21/5993
Goetre (Goytre) Fawr, *pl.*, *p.*, Myn.	32/3206
Goetre-hen, Y, *p.*, Llangynwyd Isaf, Morg.	21/8985
Gofilon, *p.*, Llan-ffwyst Fawr, Myn.	32/2613
Gogarth, *ardal*, *abaty*, Llandudno, Caern.	23/7682
ff., Towyn, Meir.	23/6798
Gogerddan, *plas*, Trefeurig, Cer.	22/6283
Goginan, *p.*, Melindwr, Cer.	22/6881
Gogofau, *ardal*, *hyn.*, Cynwyl Gaeo, Caerf.	22/6640
Gogoian, *ardal*, Llanddewibrefi, Cer.	22/6354
Golden Grove, gw. **Gelli-aur.**	
Golden Mile, gw. **Filltir Aur, Y.**	
Goodwick, gw. **Wdig.**	
Goostrey, gw. **Gwystre.**	
Gopa, Y, *ardal*, *bryn*, Llandeilo Tal-y-bont, Morg.	22/6003
Gored Beuno, *y.*, Clynnog, Caern.	23/4150

Gorffwysfa, *ardal*, Llanberis/Beddgelert, Caern.	23/6455
Gorsedd Brân, *m.*, Nantglyn, Dinb.	23/9759
Gorseinon, *t.*, Llandeilo Tal-y-bont, Morg.	21/5998
Gors Goch, *cors*, Llansanffraid Cwmteuddwr, Maesd.	22/8963
Gors-goch, *ardal*, Llanarthne, Caerf.	22/5713
Gors-las, *p.*, Llanarthne, Caerf.	22/5713
Goston, gw. **Tre-os.**	
Gowerton, gw. **Tre-gŵyr.**	
Goytre, gw. **Goetre.**	
Graig,* *pl.*, Myn.	31/2487
ardal, Tremeirchion, Ffl.	33/0872
Graig Ddu, Y, *clog.*, Aberdaron, Caern.	23/2327
clog., Pistyll, Caern.	23/3544
clog., Tal-y-llyn, Meir.	23/7010
Graig Fawr, *m.*, Llandeilo Tal-y-bont, Morg.	22/6106
m., Port Talbot, Morg.	21/7986
clog., Rhondda, Morg.	21/9296
Graigfechan, *p.*, Llanfair Dyffryn Clwyd, Dinb.	33/1454
Graig Goch, *clog.*, Tal-y-llyn, Meir.	23/7008
Graig Las, *clog.*, Brithdir ac Islaw'r-dref, Meir.	23/6713
Graig Lwyd, *clog.*, Llanychâr, Penf.	12/9932
m., Dwygyfylchi, Caern.	23/7175
Graig Serrerthin, gw. **Craig Syfyrddin.**	
Graig Wen, *m.*, Maentwrog/Trawsfynydd, Meir.	23/7339
Granston, gw. **Treopert.**	
Great Orme, gw. **Gogarth.**	
Great Orme's Head, gw. **Penygogarth.**	
Green Castle, gw. **Castell Moel.**	
Gregynog, *plas*, Tregynon, Tfn.	32/0897
Gresffordd (Gresford), *pl.*, *p.*, Dinb.	33/3554
Grib Goch, Y, *clog.*, Llanberis/Beddgelert, Caern.	23/6255
Gribin, Y, *m.*, Llanymawddwy/Mallwyd, Meir.	23/8417
Gribin Fawr/Fach, Y, *clog.*, Meir.	23/7915
Gribin Oernant, *m.*, Bryneglwys, Dinb.	33/1747
Groes, Y, *ardal*, Bylchau, Dinb.	33/0064
Groes-faen, Y, *p.*, Llantrisant, Morg.	31/0780
Groesffordd, *ardal*, Henryd, Caern.	23/7675
Groesffordd Marli, *p.*, Cefn, Dinb.	33/0073
Groeslon, Y, *p.*, Llandwrog, Caern.	23/4755
Groes-wen, Y, *p.*, Eglwysilan, Morg.	31/1286
Gronant, *p.*, Llanasa, Ffl.	33/0983
Grondre, *pl.*, Penf.	22/1118
Grongaer, Y, (Grongar Hill), *bryn*, *hyn.*, Llangathen, Caerf.	22/5721

* Gweler hefyd yr enwau ar ôl **Craig.**
  See also under **Craig.**

Grovesend, gw. **Pengelli(-ddrain).**
Grysmwnt, Y, (Grosmont), *pl., p.,* Myn.   32/4024
Guilsfield, gw. **Cegidfa.**
Gurn, Y, *m.,* Llanllechid, Caern.   23/6468
Gurn Ddu, Y, *m.,* Llanaelhaearn, Caern.   23/3946
Gurn Goch, Y, *m.,* Clynnog, Caern.   23/4047
Gurn Moelfre, *m.,* Llansilin, Dinb.   33/1829
Gurnos, Y, *p.,* Llan-giwg, Morg.   22/7709
       plas, Merthyr Tudful, Morg.   32/0408
Gurn Wigau, *m.,* Llanllechid, Caern.   23/6567
Gwaelod-y-garth, *p.,* Pen-tyrch, Morg.   31/1184
Gwaenysgor, gw. **Gwaunysgor.**
Gwalchmai, *p.,* Trewalchmai, Môn.   23/3876
Gwâl y Filiast, *hyn.,* Llanboidy, Caerf.   22/1725
Gwarafog, *pl., ff.,* Brych.   22/9548
Gwastadros, *ardal,* Llanycil, Meir.   23/8835
Gwauncaegurwen, *p.,* Llan-giwg, Morg.   22/7011
Gwaunleision, *p.,* Llan-giwg, Morg.   22/7012
Gwaunysgor, *pl., p.,* Ffl.   33/0781
Gwaunyterfyn (Acton), *p.,* Wrecsam, Dinb.   33/3352
Gwbert, *p.,* Y Ferwig, Cer.   22/1649
Gwedir (Gwydyr), *plas,* Llanrhychwyn, Caern.   23/7961
Gwehelog (Fawr), *pl., p.,* Myn.   32/3803
Gwely Gwyddfarch, *hyn.,* Meifod, Tfn.   33/1412
Gwely Melangell, *hyn.,* Llangynog, Tfn.   33/0226
Gwenddwr, *pl., p.,* Brych.   32/0643
Gwenfô (Wenvoe), *pl., p.,* Morg.   31/1272
Gwenynog, *plas,* Henllan, Dinb.   33/0365
       ff., Llanfair Caereinion, Tfn.   33/0811
Gwepra, *p.,* Connah's Quay, Ffl.   33/2968
Gwerneigron, *ardal,* Bodelwyddan, Ffl.   33/0275
Gwernesgob, *ardal,* Ceri, Tfn.   32/1286
Gwernesni, *p.,* Llantrisant Fawr, Myn.   32/4101
Gwernogle (Gwernoge), *p.,* Llanfihangel Rhos-   22/5333
    y-corn, Caerf.
Gwern y Capel, *hyn.,* Llanenddwyn, Meir.   23/5724
Gwernyclepa, *plas, hyn.,* Dyffryn, Myn.   31/2785
Gwernyfed, *plas, hyn.,* Aberllynfi, Brych.   32/1737
Gwernymynydd, *p.,* Yr Wyddgrug, Ffl.   33/2162
Gwersyllt, *pl., p.,* Dinb.   33/3152–3
       plas, Dinb.   33/3154
Gwesbyr, *p.,* Llanasa, Ffl.   33/1183
Gwibernant, gw. **Wybrnant.**
Gwndy (Undy), *pl., p.,* Myn.   31/4386
Gwnnws Isaf, *pl.,* Cer.   22/6970
       Uchaf, *pl.,* Cer.   22/7468
Gwredog, *p.,* Rhodogeidio, Môn.   23/4086

Gwryd, *ardal*, Llan-giwg, Morg.	22/7308
Gwydir, gw. **Gwedir.**	
Gwyddelwern, *pl.*, *p.*, Meir.	33/0746
Gwyddgrug, *p.*, Llanfihangel-ar-arth, Caerf.	22/4635
Gwynfe, *ardal*, Llangadog, Caerf.	22/7221
Gwynfil, *pl.*, Cer.	22/6158
Gwynfryn, *p.*, Mwynglawdd, Dinb.	33/2552
Gwynfynydd, *hyn.*, Llanwnnog, Tfn.	32/0393
Gwysane, *plas*, Yr Wyddgrug, Ffl.	33/2266
Gwystre, *p.*, Nantmel, Maesd.	32/0665
Gwytherin, *pl.*, *p.*, Dinb.	23/8761
Gyfeillion, *ardal*, Pontypridd, Morg.	31/0491
Gyfylchi, *ff.*, Llanfihangel-ynys-Afan, Morg.	21/8095
Gyffin, Y, *pl.*, *p.*, Caern.	23/7776
Gyffylliog, Y, *pl.*, *p.*, Dinb.	33/0557
Gylchedd, Y, *m.*, Tir Ifan, Dinb.	23/8544
Gyrn, gw. **Gurn.**	

H

Hafnant, *n.*, Eidda, Caern.	23/8046
Hafod, *ardal*, Abertawe, Morg.	21/6594
plas, Abertawe, Morg.	21/6192
p., Rhondda/Pontypridd, Morg.	31/0491
Hafod Uchdryd, *plas*, Llanfihangel-y-Creuddyn Uchaf, Cer.	22/7573
Hafodunos, *plas*, Llangernyw, Dinb.	23/8667
Hafodyrynys, *p.*, Aber-carn, Myn.	31/2299
Halchdyn (Halghton), *pl.*, *p.*, Ffl.	33/4143
Halkyn, gw. **Helygain.**	
Hanmer, *pl.*, *p.*, Ffl.	33/4539
Harlech, *t.*, Llandanwg, Meir.	23/5831
Harpton, gw. **Tre'rdelyn.**	
Haverfordwest, gw. **Hwlffordd.**	
Hawarden, gw. **Penarlâg.**	
Hawen, *p.*, Llangynllo, Cer.	22/3446
Hawthorn, gw. **Ddraenen Wen, Y.**	
Hay, gw. **Gelli, Y.**	
Hayscastle, gw. **Cas-lai.**	
Hebron, *p.*, Cilymaenllwyd, Caerf.	22/1827
Helygain (Halkyn), *pl.*, *p.*, *plas*, Ffl.	33/2171
m., Ffl.	33/1872
Henblas, Yr, *plas*, Llandderfel, Meir.	23/9837
plas, Llangristiolus, Môn.	23/4272
Hen Domen, *hyn.*, Llansanffraid Deuddwr, Tfn.	33/2418
Hendrefoilan, *plas*, *ff.*, Abertawe, Morg.	21/6193
Hendreforfudd, *ff.*, Corwen, Meir.	33/1245
Hendreforgan, *ff.*, Llantrisant, Morg.	21/9887

Hendre Ifan Goch, *ff.,* Llandyfodwg, Morg. 21/9788
Hendreladus, *ardal,* Ystradgynlais Isaf, Brych. 22/8010
Hendreowen, *ardal,* Glyncorrwg, Morg. 21/8395
Hendwr, *ff.,* Llandrillo, Meir. 33/0338
Hendy, Yr, *p.,* Llanedi, Caerf. 22/5803
Hendy-gwyn (Whitland), *pl., t.,* Caerf. 22/1916
           abaty, Caerf. 22/2018
Hen Ddinbych, *hyn.,* Llanrhaeadr-yng-Nghinmeirch, 23/9956
  Dinb.
Heneglwys, *pl., eg.,* Môn. 23/4276
Henfeddau, *ardal, hyn.,* Clydau, Penf. 22/2431
Henfynyw, *pl., eg.,* Cer. 22/4461
Hen Gastell, *hyn.,* Llangatwg, Brych. 32/2116
Hengastell, Yr, (Oldcastle), *ardal,* Pen-y-bont ar 21/9179
  Ogwr, Morg.
Hen Gerrig, *m.,* Llangadfan, Tfn. 23/9418
Hengoed, Yr, *p.,* Gelli-gaer, Morg. 31/1595
Hen Golwyn, *t.,* Llandrillo-yn-Rhos, Dinb. 23/8678
Hengwm, *ff.,* Clynnog, Caern. 23/4346
      ff., Llanaber, Meir. 23/5920
Hengwm (Cyfeiliog), *c., ff.,* Uwchygarreg/ 22/7894
  Penegoes, Tfn.
Hengwrt, *plas,* Llanelltud, Meir. 23/7118
Hen Gynwydd, *ardal,* Llandinam, Tfn. 22/9882
Henllan, *pl., p.,* Dinb. 33/0268
      p., Orllwyn Teifi, Cer. 22/3540
Henllan Amgoed, *eg., cp.,* Henllan Fallteg, Caerf. 22/1720
Henllan Fallteg, *pl.,* Caerf. 22/1620
Henllys, *pl.,* Myn. 31/2593
      plas, Nyfer, Penf. 22/1039
Henryd, *pl., p.,* Caern. 23/7674
      rhaeadr, Ystradgynlais Uchaf, Brych. 22/8512
Henry's Moat, gw. **Castellhenri.**
Hensol, *plas,* Pendeulwyn, Morg. 31/0479
Heolgaled, *p.,* Llandeilo Fawr, Caerf. 22/6226
Heolgerrig, *p.,* Merthyr Tudful, Morg. 32/0205
Heol-las, *p.,* Abertawe, Morg. 21/6998
Heol Porth-mawr, *hyn.,* Pen-coed/Llanilid, Morg. 21/9781
Heolsenni, *p.,* Senni, Brych. 22/9223
Heol-y-cyw, *p.,* Llangrallo, Morg. 21/9484
Hermon, *p.,* Llangadwaladr, Môn. 23/3868
      p., Llanfyrnach, Penf. 22/2031
Heyope, gw. **Llanddewi-yn-Heiob.**
Hiraddug, gw. **Moel Hiraddug.**
Hiraethlyn (Erethlyn), *ll.,* Trawsfynydd, Meir. 23/7437
Hiraethog, gw. **Mynydd Hiraethog.**
Hirfynydd, *m.,* Dulais/Castell-nedd, Morg. 22/8105

Hirnant, *pl., p.,* Tfn.	33/0522
Hirwaun, *t.,* Aberdâr, Morg.	22/9505
Hob, Yr, (Hope), *pl., p.,* Ffl.	33/3058
Hoffnant, *n.,* Penbryn, Cer.	22/3151
Holyhead, gw. **Caergybi.**	
Holyhead Mountain, gw. **Mynydd Twr.**	
Holy Island, gw. **Ynys Gybi.**	
Holywell, gw. **Treffynnon.**	
Hope, gw. **Hob, Yr.**	
Hopkinstown, gw. **Trehopcyn.**	
Horeb, *p.,* Llandysul/Orllwyn Teifi, Cer.	22/3942
Horseshoe Pass, gw. **Oernant, Yr.**	
Hwlffordd (Haverfordwest), *bd.,* Penf.	12/9515
Hywig (Howick), *plas,* St. Arvan's, Myn.	31/5095

I

Idole, *p.,* Llandyfaelog, Caerf.	22/4215
Ifftwn (Ifton), *p.,* Rogiet, Myn.	31/4688
Ilston, gw. **Llanilltud Gŵyr.**	
Is-clydach, *pl.,* Brych.	22/9030
Is-coed, *pl.,* Ffl.	33/5042
Islaw'r-dref (a Brithdir), *pl., ardal,* Meir.	23/6815
Is-y-coed, *pl.,* Dinb.	33/4049
ardal, Penegoes, Tfn.	23/7600
Isygarreg, *pl.,* Tfn.	22/7198
Itton, gw. **Llanddinol.**	
Iwerddon, *m.,* Penmachno, Caern.	23/7852

J

Jordanston, gw. **Trefwrdan.**

K

Kemeys, gw. **Cemais.**
Kemeys Commander, gw. **Cemais Comawndwr.**
Kenfig, gw. **Cynffig.**
Kenfig Hill, gw. **Mynyddcynffig.**
Kerry, gw. **Ceri.**
Kidwelly, gw. **Cydweli.**
Kilgetty, gw. **Cilgeti.**
Kilgwrrwg, gw. **Cilgwrrwg.**
Killay, gw. **Cilâ.**

Kilvey, gw. **Cilfái.**
Kilvrough, gw. **Cil-frwch.**
Kingcoed, gw. **Cyncoed.**
Kinmel, gw. **Cinmel.**
Knaveston, gw. **Treganeithw.**
Knelston, gw. **Llan-y-tair-mair.**
Knighton, gw. **Trefyclo.**
Knucklas, gw. **Cnwclas.**

L

Lacharn (Laugharne), *pl., t.,* Caerf.   22/3010
Laleston, gw. **Trelales.**
Lampeter, gw. **Llanbedr Pont Steffan.**
Lampeter Velfrey, gw. **Llanbedr Felffre.**
Lampha, gw. **Llanffa.**
Lamphey, gw. **Llandyfái.**
Landimôr, *p.,* Cheriton, Morg.   21/4693
Landore, gw. **Glandŵr.**
Lanelay, gw. **Glanelái.**
Larnog (*nid* **Llywernog**) (**Lavernock**), *pl., p.,* Morg. 31/1768
Lasynys, Y, *ff.,* Llandanwg, Meir.   23/5932
Laugharne, gw. **Lacharn.**
Lavan Sands, gw. **Traeth Lafan.**
Lavernock Point, gw. **Trwyn Larnog.**
Lecwydd (Leckwith), *pl., p.,* Morg.   31/1574
Leeswood, gw. **Coed-llai.**
Leighton, gw. **Tre'r-llai.**
Letterston, gw. **Treletert.**
Libanus, *p.,* Glyn, Brych.   22/9925
Licswm, *p.,* Ysgeifiog, Ffl.   33/1671
Lisvane, gw. **Llys-faen.**
Little Newcastle, gw. **Casnewydd-bach.**
Little Orme, gw. **Trwyn y Fuwch.**
Lochdwrffin, *ff.,* Mathri, Penf.   12/8529
Loch-fân (Lochvane), *ff.,* Breudeth, Penf.   12/8223
Login, *p.,* Cilymaenllwyd/Llanboidy, Caerf.   22/1623
Long Mountain, gw. **Cefn Digoll.**
Lôn-las, *ardal,* Abertawe, Morg.   21/7097
Loughor, gw. **Casllwchwr.**
Ludchurch, gw. **Eglwys Lwyd, Yr.**
Lugg R., gw. **Afon Llugwy.**

LL

Llaethdy, *ardal,* Llanbadarn Fynydd, Maesd.   32/0680
Llai, *pl., p.,* Dinb.   33/3355

Llain-goch, *p.*, Caergybi, Môn.	23/2382
Llamyrewig, *pl.*, *eg.*, Tfn.	32/1593
Llanaber, *pl.*, *p.*, Meir.	23/6017
Llanaelhaearn, *pl.*, *p.*, Caern.	23/3844
Llanafan, *pl.*, *p.*, Cer.	22/6872
Llanafan Fawr, *pl.*, *p.*, Brych.	22/9655
Llanafan Fechan, *pl.*, *p.*, Brych.	22/9750
Llanallgo, *pl.*, *p.*, Môn.	23/5085
Llanandras (**Presteigne**), *pl.*, *t.*, Maesd.	32/3164
Llananno, *pl.*, *eg.*, Maesd.	32/0974
Llanarmon, *p.*, Llanystumdwy, Caern.	23/4239
Llanarmon Dyffryn Ceiriog, *pl.*, *p.*, Dinb.	33/1532
Llanarmon Mynydd Mawr, *pl.*, *p.*, Dinb.	33/1327
Llanarmon-yn-Iâl, *pl.*, *p.*, Dinb.	33/1956
Llanarth, gw. **Llannarth.**	
Llan-arth, *p.*, *plas*, Llan-arth Fawr, Myn.	32/3711
Llan-arth Fawr, *pl.*, Myn.	32/3711
Llanarthne, *pl.*, *p.*, Caerf.	22/5320
Llanasa, *pl.*, *p.*, Ffl.	33/1081
Llanbabo, *pl.*, *p.*, Môn.	23/3786
Llanbadarn Fawr, *pl.*, *p.*, Cer.	22/6080
pl., Maesd.	32/0864
Llanbadarn Fynydd, *pl.*, *p.*, Maesd.	32/0977
Llanbadarn Garreg, *pl.*, *p.*, Maesd.	32/1148
Llanbadarn Odwyn, *pl.*, Cer.	22/6361
Llanbadarn Trefeglwys, *pl.*, Cer.	22/5463
Llanbadarn-y-Creuddyn Isaf, *pl.*, Cer.	22/6077
Uchaf, *pl.*, Cer.	22/6677
Llanbadarn-y-garreg, gw. **Llanbadarn Garreg.**	
Llanbadog Fawr, *pl.*, *p.*, Myn.	32/3700
Llanbadrig, *pl.*, Môn.	23/3893
Llanbeblig, *pl.*, Caern.	23/4863
Llanbedr, *pl.*, *p.*, Meir.	23/5826
Llan-bedr, *p.*, Langstone, Myn.	31/3890
Llanbedr-ar-fynydd (**Peterston-super-montem**),	21/9885
pl., *eg.*, Morg.	
Llanbedr Castell-paen, *pl.*, *eg.*, Maesd.	32/1446
Llanbedr Dyffryn Clwyd, *pl.*, *p.*, Dinb.	33/1459
Llanbedr Felffre (**Efelfre**), *pl.*, *p.*, Penf.	22/1514
Llanbedr-goch, *p.*, Llanfair Mathafarn Eithaf,	23/5080
Môn.	
Llan-bedr Gwynllŵg (**Peterstone Wentloog**),	31/2680
pl., *p.*, Myn.	
Llanbedrog, *pl.*, *p.*, Caern.	23/3231
Llanbedr Painscastle, gw. **Llanbedr Castell-paen.**	
Llanbedr Pont Steffan (**Lampeter**), *pl.*, *bd.*, Cer.	22/5748
Llanbedrycennin, *pl.*, *p.*, Caern.	23/7569

Llanbedr-y-fro (Peterston-super-Ely), *pl.*, *p.*,   31/0876
    Morg.
Llanbedr Ystrad Yw, *pl.*, *p.*, Brych.   32/2320
Llanberis, *pl.*, *p.*, Caern.   23/5760
Llanbethery, gw. **Llanbydderi.**
Llanbeulan, *eg.*, Llechylched, Môn.   23/3775
Llanbister, *pl.*, *p.*, Maesd.   32/1073
Llanblethian, gw. **Llanfleiddan.**
Llanboidy (Llanbeidy), *pl.*, *p.*, Caerf.   22/2123
Llanbradach, *p.*, Llanfabon/Eglwysilan, Morg.   31/1490
Llanbryn-mair, *pl.*, *p.*, Tfn.   23/8800; 8902
Llanbydderi (Llanbethery), *p.*, Llancarfan, Morg. 31/0369
Llancadle, gw. **Llancatal.**
Llancaeach, *p.*, Gelli-gaer, Morg.   31/1196
Llancaeo, *ardal, plas*, Gwehelog Fawr, Myn.   32/3603
Llancarfan, *pl.*, *p.*, Morg.   31/0570
Llancatal, *p.*, Llancarfan, Morg.   31/0368
Llan-crwys, *pl.*, *ardal*, Caerf.   22/6245
Llancynfelyn, gw. **Llangynfelyn.**
Llandaf, *p.*, Caerdydd, Morg.   31/1578
Llandanwg, *pl.*, *p.*, Meir.   23/5728
Llan-dawg (Llandawke), *eg.*, Llanddowror, Caerf. 22/2811
Llandebie, gw. **Llandybïe.**
Llandecwyn, *pl.*, *eg., plas*, Meir.   23/6337
Llandefaelog (Llandefeilog), gw. **Llandyfaelog.**
Llandefalle, gw. **Llandyfalle.**
Llandegai, gw. **Llandygái.**
Llandegfan, *pl.*, *p.*, Môn.   23/5674
Llandegfedd (Llandegveth), *p.*, Llangybi Fawr,   31/3395
    Myn.
Llandegla, *pl.*, *p.*, Dinb.   33/1952
Llandegley (Llandeglau), *pl.*, *p.*, Maesd.   32/1362
Llandegveth, gw. **Llandegfedd.**
Llandegwning, gw. **Llandygwnning.**
Llandeilo, *pl.*, Myn.   32/3917
    pl., Penf.   22/0929
Llandeilo Abercywyn, *eg.*, Llangynog, Caerf.   22/3013
Llandeilo Bertholau, *pl.*, *p.*, Myn.   32/3116
Llandeilo (Fawr), *pl.*, *t.*, Caerf.   22/6322
Llandeilo Ferwallt (Bishopston), *pl.*, *p.*, Morg. 21/5789
Llandeilo Graban, *pl.*, *eg.*, Maesd.   32/0944
Llandeilo Gresynni (Llantilio Crossenny), *p.*,   32/3914
    Llandeilo, Myn.
Llandeilo Porth Halog, gw. **Llandeilo Bertholau.**
Llandeilo'r-fân, *pl.*, *p.*, Brych.   22/8934
Llandeilo Rwnws (*nid* **Llandeilo'r-ynys**), *ff., pont,* 22/4920
    Llanegwad, Caerf.

Llandeilo Tal-y-bont, *pl.*, Morg.	22/6004
Llandeloy, gw. **Llan-lwy.**	
Llandenni (**Llandenny**), *p.*, Rhaglan, Myn.	32/4103
Llandevaud, *p.*, Llanfarthin, Myn.	31/4090
Llandevenny, *pl.*, *p.*, Myn.	31/4186
Llandilo, gw. **Llandeilo.**	
Llandingad, *pl.*, Caerf.	22/7734; 7533
Llandinam, *pl.*, *p.*, Tfn.	32/0288
Llandoche(-au) (**Llandough**), *p.*, Penarth, Morg.	31/1673
p., Llan-fair, Morg.	21/9972
Llandogo, *p.*, Tryleg, Myn.	32/5204
Llandow, gw. **Llandŵ.**	
Llandre (**Llanfihangel Genau'r-glyn**), *p.*, Genau'r-glyn, Cer.	22/6286
Llandridian, *ardal*, *ff.*, Tyddewi, Penf.	12/7825
Llandrillo-yn-Edeirnion, *pl.*, *p.*, Meir.	33/0337
Llandrillo-yn-Rhos, *pl.*, *p.*, Dinb.	23/8380
Llandrindod, *pl.*, *t.*, Maesd.	32/0561
Llandrinio, *pl.*, *p.*, Tfn.	33/2817
Llandrygarn, *pl.*, Môn.	23/3779
Llandruidion, gw. **Llandridian.**	
Llandudno, *pl.*, *t.*, Caern.	23/7882
Llandudoch (**St. Dogmaels**), *pl.*, *p.*, Penf.	22/1645
Llandudwen, *eg.*, Buan, Caern.	23/2736
Llandudwg (**Tythegston**), *p.*, Llandudwg Isaf, Morg.	21/8578
Isaf, *pl.*, Morg.	21/8579
Uchaf, *pl.*, Morg.	21/8481
Llandulas, gw. **Llanddulas.**	
Llandŵ (**Llandow**), *pl.*, *p.*, Morg.	21/9473
Llandwrog, *pl.*, *p.*, Caern.	23/4556
Llandybïe, *pl.*, *p.*, Caerf.	22/6115
Llandyfaelog, *pl.*, *p.*, Caerf.	22/4111
Llandyfaelog Fach, *pl.*, *p.*, Brych.	32/0332
Llandyfaelog Tre'r-graig, *p.*, Llanfilo, Brych.	32/1229
Llandyfái (**Lamphey**), *pl.*, *p.*, Penf.	22/0100
Llandyfalle, *pl.*, *eg.*, Brych.	32/1035
Llandyfân, *eg.*, *ardal*, Llandeilo Fawr, Caerf.	22/6417
Llandyfeisant, *pl.*, *eg.*, Caerf.	22/6222
Llandyfodwg, *pl.*, *p.*, Morg.	21/9587
Llandyfrïog, *pl.*, *p.*, Cer.	22/3341
Llandyfrydog, *pl.*, *p.*, *plas*, Môn.	23/4385
Llandygái, *pl.*, *p.*, Caern.	23/5970
Llandygwnning, *eg.*, Botwnnog, Caern.	23/2630
Llandygwydd, *pl.*, *eg.*, Cer.	22/2443
Llandynnan, *p.*, Llandysilio, Dinb.	33/1844
Llandyrnog, *pl.*, *p.*, Dinb.	33/1065

Llandysilio, *pl., p.,* Caerf.   22/1124
        pl., Môn.   23/5473
        pl., p., Penf.   22/1221
        pl., eg., Tfn.   33/2619
Llandysiliogogo, *pl., p.,* Cer.   22/3657
Llandysilio-yn-Iâl, *pl., p.,* Dinb.   33/1943
Llandysul, *pl., p.,* Tfn.   32/1995
        pl., p., Cer.   22/4140
Llanddaniel-fab, *pl., p.,* Môn.   23/4970
Llanddarog, *pl., p.,* Caerf.   22/5016
Llanddeiniol, *pl., p.,* Cer.   22/5672
Llanddeiniolen, *pl., p.,* Caern.   23/5466
Llandderfel, *pl., p.,* Meir.   23/9837
        hyn., Llanfihangel Llantarnam, Myn.   31/2695
Llanddeti, *pl., eg.,* Brych.   32/1120
Llanddeusant, *pl., p.,* Caerf.   22/7724
        pl., p., Môn.   23/3485
Llan-ddew, *pl., p.,* Brych.   32/0530
Llanddewi, *pl., p.,* Morg.   21/4689
Llanddewi (Dewstow), *p.,* Caldicot, Myn.   31/4688
Llanddewi Aber-arth, *pl., eg.,* Cer.   22/4763
Llanddewi Abergwesyn, *pl.,* Brych.   22/8155
Llanddewibrefi, *pl., p.,* Cer.   22/6655
Llanddewi Fach, *eg.,* Llangybi Fawr, Myn.   31/3395
        pl., eg. Maesd.   32/1445
Llanddewi Felffre (Ll. Velfrey), *pl., eg.,* Penf.   22/1415
Llanddewi Gaer, *hyn.,* Llanddewi Felffre, Penf.   22/1416
Llanddewi (Nant Hodni), (Llanthony), *p., abaty,*   32/2827
    Crucornau Fawr, Myn.
Llanddewi'r-cwm, *pl., eg.,* Brych.   32/0348
Llanddewi Rhydderch, *p.,* Llanofer Fawr, Myn.   32/3412
Llanddewi-yn-Heiob (Heyope), *pl., eg.,* Maesd.   32/2374
Llanddewi Ysgyryd (Llanthewy Skirrid), *pl., p.,*   32/3417
    Myn.
Llanddewi Ystradenni, *pl., p.* Maesd.   32/1068
Llanddingad, Caerf., gw. **Llandingad.**
Llanddingad (Dingestow), *ca.,* Llanfihangel   32/4510
    Troddi, Myn.
Llanddinol (Llanddeiniol) (Itton), *ardal, eg., plas,*   31/4895
    St. Arvan's, Myn.
Llanddoged, *pl., p.,* Dinb.   23/8063
Llanddona, *pl., p.,* Môn.   23/5779
Llanddowror, *pl., p.,* Caerf.   22/2514
Llanddulas, *pl., eg.,* Brych.   22/8741
        p., Abergele, Dinb.   23/9078
Llanddunwyd (Welsh St. Donats), *pl., p.,* Morg.   31/0276
Llanddwyn, *b., g.,* Niwbwrch, Môn.   23/3862

Llanddwywe-is-y-graig, *pl.*, Meir.	23/6123
Llanddwywe-uwch-y-graig, *pl.*, Meir.	23/6826
Llanddyfnan, *pl.*, *plas*, Môn.	23/4878
Llanedern, *pl.*, *p.*, Morg.	31/2182
Llanedi, *pl.*, *p.*, Caerf.	22/5806
Llanedwen, *eg.*, Llanddaniel-fab, Môn.	23/5168
Llanefydd, *pl.*, *p.*, Dinb.	23/9870
Llanegryn, *pl.*, *p.*, Meir.	23/6005
Llanegwad, *pl.*, *p.*, Caerf.	22/5121
Llanegwest (**Glyn-y-groes**) (**Valle Crucis**), *abaty*, Llandysilio-yn-Iâl, Dinb.	33/2044
Llanengan, *pl.*, *p.*, Caern.	23/2926
Llaneigon, gw. **Llanigon.**	
Llaneilfyw (**St. Elvis**), *pl.*, *ff.*, Penf.	12/8123
Llaneilian, *pl.*, *p.*, Môn.	23/4692
Llaneilian-yn-Rhos, *pl.*, *p.*, Dinb.	23/8676
Llaneirwg (**St. Mellons**), *pl.*, *p.*, Myn.	31/2381
Llanelen, *p.*, Llan-ffwyst Fawr, Myn.	32/3010
Llaneleu, *pl.*, *eg.*, Brych.	32/1834
Llanelidan, *pl.*, *p.*, Dinb.	33/1050
Llanelwedd, *pl.*, *p.*, *plas*, Maesd.	32/0451
Llanelwy (**St. Asaph**), *pl.*, *p.*, Ffl.	33/0374
Llanelli, *pl.*, *p.*, Brych.	32/2314
pl., *bd.*, Caerf.	22/5000
Llanelltud, *pl.*, *p.*, Meir.	23/7119
Llanenddwyn, *pl.*, *p.*, Meir.	23/5823
Llanerfyl, *pl.*, *p.*, Tfn.	33/0309
Llaneuddog, *eg.*, Llaneilian, Môn.	23/4688
Llaneugrad, *pl.*, *p.*, Môn.	23/4882
Llaneurgain (**Northop**), *pl.*, *p.*, Ffl.	33/2468
Llanfable (**Llanvapley**), *p.*, Llan-arth Fawr, Myn.	32/3614
Llanfabon, *pl.*, *eg.*, Morg.	31/1093
Llanfaches (**Llanvaches**), *pl.*, *p.*, Myn.	31/4391
Llanfachreth, *pl.*, *p.*, Meir.	23/7522
pl., *p.*, Môn.	23/3182
Llanfaelog, *pl.*, *p.*, Môn.	23/3372
Llanfaelrhys, *eg.*, Aberdaron, Caern.	23/2126
Llanfaenor (**Llanfannar**), *p.*, Llangatwg Feibion Afel, Myn.	32/4316
Llan-faes, *p.*, St. David, Brych.	32/0328
pl., *p.*, Môn.	23/6077
(**Llan-maes**), *pl.*, *p.*, Morg.	21/9869
Llanfaethlu, *pl.*, *p.*, Môn.	23/3186
Llanfaglan, *pl.*, *p.*, Caern.	23/4660
Llanfair, *pl.*, *p.*, Meir.	23/5729
eg., *ardal*, Llandeilo, Myn.	32/3919
Llan-fair (**St. Mary Church**), *pl.*, *p.*, Morg.	31/0071

Llanfair-ar-y-bryn, *pl.*, *p.*, Caerf.	22/8039
Llanfair Caereinion, *pl.*, *t.*, Tfn.	33/1006
Llanfair Cilgedin (Kilgeddin), *eg.*, Llanofer Fawr,	32/3508
Myn.	
Llanfair Clydogau, *pl.*, *p.*, Cer.	22/6251
Llanfair Dinbych-y-pysgod, *pl.*, Penf.	22/1201–3
Llanfair Dyffryn Clwyd, *pl.*, *p.*, Dinb.	33/1355
Llanfairfechan, *pl.*, *t.*, Caern.	23/6874
Llanfair-is-gaer, *pl.*, Caern.	23/5166
Llanfair Isgoed (Disgoed), *p.*, Caer-went, Myn.	31/4492
Llanfair Llythynwg (Llwythyfnwg)	32/2355
(Gladestry), *pl.*, *p.*, Maesd.	
Llanfair Mathafarn Eithaf, *pl.*, *p.*, Môn.	23/5083
Llanfair Nant-gwyn, *pl.*, *eg.*, Penf.	22/1637
Llanfair Nant-y-gof, *pl.*, Penf.	12/9732
Llanfairorllwyn, *eg.*, Orllwyn Teifi, Cer.	22/3641
Llanfair Pwllgwyngyll, *pl.*, *p.*, Môn.	23/5371
Llanfair Talhaearn, *pl.*, *p.*, Dinb.	23/9270
Llanfair Trelygen, *eg.*, *hyn.*, Llandyfrïog, Cer.	22/3444
Llanfair-yng-Nghornwy, *pl.*, *p.*, Môn.	23/3290
Llanfair-ym-Muallt (Builth Wells), *pl.*, *t.*, Brych.	32/0450
Llanfair-yn-neubwll, *pl.*, *p.*, Môn.	23/3076
Llanfair-yn-y-cwmwd, *p.*, Llangeinwen, Môn.	23/4466
Llanfallteg, *pl.*, Penf.	22/1319
p., Henllan Fallteg, Caerf.	22/1519
Llanfaredd, *pl.*, *eg.*, Maesd.	32/0750
Llanfarian (Pentre-bont),	22/5977
Llanbadarn-y-Creuddyn Isaf, Cer.	
Llanfarthin (Llanmartin), *pl. p.* Myn.	31/3989
Llanfechain, *pl.*, *p.*, Tfn.	33/1820
Llanfechan, *ardal*, Tregynon, Tfn.	32/0797
Llanfechell, *pl.*, *p.*, Môn.	23/3691
Llanfedw, *pl.*, Morg.	31/2185
Llanfeirion, gw. **Llangadwaladr,** Môn.	
Llanfellte, *p.*, Llansanffraid/Llanfihangel Cwm Du,	32/1422
Brych.	
Llanferres, *pl.*, *p.*, Dinb.	33/1860
Llanfeugan (Llanfigan), *pl.*, *p.*, Brych.	32/0924
Llanfeuthin, *pl.*, *ff.*, Morg.	31/0471
Llanfigan, gw. **Llanfeugan.**	
Llanfigel, *eg.*, Llanfachreth, Môn.	23/3282
Llanfihangel (Llanvihangel near Roggiett),	31/4587
pl., *p.*, Myn.	
Llanfihangel Aberbythych, *pl.*, *p.*, Caerf.	22/5819
Llanfihangel Abercywyn, *eg.*, Sanclêr, Caerf.	22/2916
Llanfihangel Abergwesyn, *pl.*, Brych.	22/8456
Llanfihangel-ar-arth (Iorath), *pl*, *p.*, Caerf.	22/4539

Llanfihangel-ar-Elái (Michaelston-super-Ely), 31/1176
p., Sain Ffagan, Morg.
Llanfihangel Bachellaeth, *eg.*, Buan, Caern. 23/3034
Llanfihangel Brynpabuan, *pl.*, *eg.*, Brych. 22/9856
Llanfihangel Cilfargen, *eg.*, Llangathen, Caerf. 22/5724
Llanfihangel Crucornau (Llanvihangel 32/3220
Crucorney), *p.*, Crucornau Fawr, Myn.
Llanfihangel Cwm Du, *pl.*, *p.*, Brych. 32/1823
Llanfihangel Dinsylwy, *eg.*, Llaniestyn, Môn. 23/5881
Llanfihangel Dyffryn Arwy (Michaelchurch- 32/2450
on-Arrow), *pl.*, *eg.*, Maesd.
Llanfihangel Esgeifiog, gw. Llanfihangel
Ysgeifiog.
Llanfihangel Fechan, *pl.*, Brych. 32/0336
Llanfihangel Genau'r-glyn (Llandre), *p.*, 22/6286
Genau'r-glyn, Cer.
Llanfihangel Glyn Myfyr, *pl.*, *p.*, Dinb. 23/9949
Llanfihangel Helygen, *pl.*, *eg.*, Maesd. 32/0464
Llanfihangel Llantarnam, *pl.*, *p.*, Myn. 31/3093
Llanfihangel Nant Brân, *pl.*, *p.*, Brych. 22/9434
Llanfihangel Nant Melan, *pl.*, *p.*, Maesd. 32/1758
Llanfihangel Penbedw, *pl.*, *eg.*, Penf. 22/2039
Llanfihangel Pont-y-moel, *p.*, Pant-teg, Myn. 32/3001
Llanfihangel Rhos-y-corn, *pl.*, Caerf. 22/5035
Llanfihangel Rhydieithon, *pl.*, *p.*, Maesd. 32/1566
Llanfihangel Tal-y-llyn, *pl.*, *p.*, Brych. 32/1128
Llanfihangel Torymynydd, *eg.*, Devauden, Myn. 32/4601
Llanfihangel Tre'r-beirdd, *pl.*, Môn. 23/4583
Llanfihangel Troddi (Troi) (Mitchel Troy), 32/4910
pl., *p.*, Myn.
Llanfihangel-uwch-Gwili, *p.*, Abergwili, Caerf. 22/4822
Llanfihangel y Bont-faen (Llanmihangel), *pl.*, *eg.*, 21/9871
Morg.
Llanfihangel-y-Creuddyn, *p.*, Llanfihangel-y- 22/6676
Creuddyn Isaf, Cer.
Isaf, *pl.*, Cer. 22/6875
Uchaf, *pl.*, Cer. 22/7676
Llanfihangel-y-fedw (Michaelston-y-Vedw), 31/2484
pl., *p.*, Myn.
Llanfihangel-y-gofion, *eg.*, *ardal*, Llanofer Fawr, 32/3409
Myn.
Llanfihangel-yng-Ngwynfa, *pl.*, *p.*, Tfn. 33/0816
Llanfihangel-yn-Nhywyn, *p.*, Llanfair-yn-neubwll, 23/3277
Môn.
Llanfihangel-ynys-Afan (Michaelston), *pl.*, Morg. 21/8196
Llanfihangel-y-Pennant, *pl.*, *p.*, Meir. 23/6708
p., Dolbenmaen, Caern. 23/5244

Llanfihangel-y-pwll (Michaelston-le-Pit), *pl.*, *p.*, 31/1573
Morg.
Llanfihangel Ysgeifiog, *pl.*, Môn. 23/4873
Llanfihangel Ystrad, *pl.*, *p.*, Cer. 22/5256
Llanfihangel Ystum Llywern (Llanvihangel 32/4313
Ystern Llewern), *p.*, Llandeilo, Myn.
Llanfihangel-y-traethau, *p.*, Talsarnau, Meir. 23/5935
Llanfilo (Llanfillo), *pl.*, *p.*, Brych. 32/1133
Llanfleiddan (Llanblethian), *pl.*, *p.*, Morg. 21/9873
Llanfocha (St. Maughan's), *p.*, Llangatwg 32/4617
Feibion Afel, Myn.
Llanfoist, gw. **Llan-ffwyst.**
Llanfor, *pl.*, *p.*, Meir. 23/9336
Llanforlais, gw. **Llanmorlais.**
Llanfrechfa, *pl.*, *p.*, Myn. 31/3193
Llanfrothen, *pl.*, *p.*, Meir. 23/6241
Llanfrynach, *pl.*, *p.*, Brych. 32/0725
    eg., Pen-llin, Morg. 21/9776
Llanfwrog, *pl.*, *p.*, Dinb. 33/1157
    p., Llanfaethlu, Môn. 23/3084
Llanfyllin, *pl.*, *bd.*, Tfn. 33/1419
Llanfynydd, *pl.*, *p.*, Caerf. 22/5527
    pl., *p.*, Ffl. 33/2756
Llan-fyrn, *ardal*, Tyddewi, Penf. 12/7930
Llanfyrnach, *pl.*, *p.*, Penf. 22/2231
Llanffa (Lampha), *ardal*, *ff.*, *hyn.*, Ewenni, Morg. 21/9275
Llanfflewin, *eg.*, Llanbabo, Môn. 23/3489
Llan-ffwyst (Fawr), *pl.*, *p.*, Myn. 32/2813
Llangadfan, *pl.*, *p.*, Tfn. 33/0110
Llangadog, *pl.*, *p.*, Caerf. 22/7028
Llangadwaladr, *pl.*, *eg.*, Dinb. 33/1635
    pl., *p.*, Môn. 23/3869
    eg., Llansilin, Dinb. 33/1830
Llangadwaladr Tre Esgob (Bishton), gw.
Trefesgob.
Llangaffo, *pl.*, *p.*, Môn. 23/4468
Llan-gain, *pl.*, *eg.*, Caerf. 22/3815
Llangamarch, *p.*, Penbuallt/Treflys, Brych. 22/9347
Llan-gan (Llanganna), *pl.*, *p.*, Morg. 21/9577
Llan-gan, *pl.*, *eg.*, Penf. 22/1718
Llanganhafal, gw. **Llangynhafal.**
Llanganten, *pl.*, *p*, Brych. 22/9851
Llangar, *pl.*, *p.*, Meir. 33/0642
Llangasty Tal-y-llyn, *pl.*, *eg.*, Brych. 32/1326
Llangatwg, *pl.*, *p.*, Brych. 32/2117
Llangatwg (Cadoxton-juxta-Neath), *p.*, Blaen- 21/7498
honddan, Morg.

LLANGATWG DYFFRYN WYSG—LLANGUICKE

Llangatwg Dyffryn Wysg (Llangattock nigh Usk), *p.*, Llanofer Fawr, Myn.	32/3309
Llangatwg Feibion Afel (Llangattock Vibon Avel), *pl.*, *p.*, Myn.	32/4515
Llangatwg Lingoed (Llangattock Lingoed), *p.*, Grysmwnt Fawr, Myn.	32/3620
Llangathen, *pl.*, *p.*, Caerf.	22/5822
Llangedwyn (Y Waun), *pl.*, *p.*, Dinb.	33/1824
Llangefni, *pl.*, *t.*, Môn.	23/4575
Llangeinwen, *pl.*, *eg.*, Môn.	23/4365
Llangeinwyr (Llangeinor), *pl.*, *p.*, Morg.	21/9187
Llangeitho, *pl.*, *p.*, Cer.	22/6259
Llangeler, *pl.*, *p.*, Caerf.	22/3739
Llangelynnin, *eg.*, Henryd, Caern.	23/7773
pl., *p.*, Meir.	23/5707
Llangendeirne, gw. **Llangyndeyrn.**	
Llangennech, *pl.*, *p.*, Caerf.	22/5601
Llangenni (Llangenau), *pl.*, *p.*, Brych.	32/2417
Llangennith, gw. **Llangynydd.**	
Llangernyw, *pl.*, *p.*, Dinb.	23/8767
Llangeview, gw. **Llangyfiw.**	
Llangewydd, *ardal, hyn., ff.*, Trelales, Morg.	21/8780
Llangïan, *p.*, Llanengan, Caern.	23/2928
Llangibby, gw. **Llangybi.**	
Llanginning, gw. **Llangynin.**	
Llangiwa (Llangua), *ardal, eg.*, Grysmwnt Fawr, Myn.	32/3925
Llan-giwg, *pl.*, *eg.*, Morg.	22/7205
Llangloffan, *p.*, Treopert, Penf.	12/9032
Llanglydwen, *p.*, Cilymaenllwyd/Llanboidy, Caerf.	22/1826
Llangoed, *pl.*, *p.*, Môn.	23/6079
Llangoedmor, *pl.*, *eg.*, Cer.	22/1945
Llangofen (Llanygofain), *ardal, eg.*, Rhaglan, Myn.	32/4505
Llangolman, *pl.*, *p.*, Penf.	22/1127
Llangollen, *pl.*, *t.*, Dinb.	33/2142
Llan-gors, *pl.*, *p.*, *ll.*, Brych.	32/1327
Llangorse Lake, gw. **Llyn Syfaddan.**	
Llangorwen, *pl.*, *eg.*, Cer.	22/6083
Llangower, gw. **Llangywer.**	
Llangrallo (Coychurch), *p.*, Llangrallo Isaf, Morg.	21/9379
Isaf, *pl.*, Morg.	21/9380
Uchaf, *pl.*, Morg.	21/9485
Llangrannog, *pl.*, *p.*, Cer.	22/3154
Llangristiolus, *pl.*, *p.*, Môn.	23/4373
Llangrwyne, *p.*, Llangenni, Brych.	32/2416
Llangua, gw. **Llangiwa.**	
Llanguicke, gw. **Llan-giwg.**	

Llangunnor, gw. **Llangynnwr.**
Llangurig, *pl., p.,* Tfn.   22/9079
Llangwm, *pl., p.,* Dinb.   23/9644
       pl., p., Penf.   12/9809
Llan-gwm, *pl., p.,* Myn.   31/4299
Llan-gwm Isaf, *p., ff.,* Llan-gwm, Myn.   32/4200
Llangwnnadl, *eg.,* Tudweiliog, Caern.   23/2033
Llangwyfan, *eg., ardal, plas,* Aberffro, Môn.   23/3471
       p., Llandyrnog, Dinb.   33/1266
Llangwyllog, *pl., eg.,* Môn.   23/4379
Llangwyryfon (Llangwyryddon), *pl., p.,* Cer.   22/5970
Llangybi, *pl., p.,* Cer.   22/6053
       p., Llanystumdwy, Caern.   23/4241
Llangybi (Fawr), *pl., p.,* Myn.   31/3796
Llangyfelach, *pl., p.,* Morg.   21/6498
Llangyfiw (Llangeview), *eg.,* Llantrisaint Fawr,   32/3900
Myn.
Llangyndeyrn, *pl., p.,* Caerf.   22/4514
Llangynfelyn, *pl., p.,* Cer.   22/6492
Llangynhafal, *pl., p.,* Dinb.   33/1263
Llangynidr, *pl., p.,* Brych.   32/1519
Llangyniew, gw. **Llangynyw.**
Llangynin, *pl., p.,* Caerf.   22/2519
Llangynllo, *t.l., eg.,* Cer.   22/3543
       pl., p., Maesd.   32/2171
Llangynnwr, *pl., p.,* Caerf.   22/4320
Llangynog, *pl.,* Brych.   32/0245
       pl., p., Caerf.   22/3416
       pl., p., Tfn.   33/0526
Llangynwyd, *pl., p.,* Morg.   21/8588
Llangynydd (Llangennith), *pl., p.,* Morg.   21/4291
Llangynyw, *pl., eg.,* Tfn.   33/1209
Llangystennin, *eg.,* Llandudno, Caern.   23/8279
Llangywer (Llangywair, Llangower), *pl., p.,* Meir.   23/9032
Llanhamlach, *pl., eg.,* Brych.   32/0926
Llanharan, *pl., p.,* Morg.   31/0083
Llanhari (Llanharry), *pl., p.,* Morg.   31/0080
Llanhenwg (Llanhynwg) (Llanhennock) Fawr,   31/3592
   pl., p., Myn.
Llanhiledd (ffurf lafar, **Llanhiddel**) **(Llanhilleth),** 32/2100
   pl., p., Myn.
Llanhuadain (Llawhaden), *pl., p.,* Penf.   22/0617
Llanhychan, *eg.,* Llangynhafal, Dinb.   33/1162
Llanhywel (Llanhowel), *pl., eg.,* Penf.   12/8127
Llanidan, *pl., eg., plas,* Môn.   23/4966
Llanidloes, *pl., t.,* Tfn.   22/9584
Llanieithon, *ardal,* Betws Cedewain, Tfn.   32/0995

Llaniestyn, *pl.*, *eg.*, *ardal*, Môn.	23/5879
p., Botwnnog, Caern.	23/2733
Llanigon (**Llaneigon**), *pl.*, *p.*, Brych.	32/2139
Llanilar, *pl.*, *p.*, Cer.	22/6275
Llanilid, *pl.*, *eg.*, Morg.	21/9781
eg., Crai, Brych.	22/8924
Llanilltern, *pl.*, *eg.*, *cp.*, Morg.	31/0979
Llanilltud, *eg.*, Glyn, Brych.	22/9726
Llanilltud Fach (**Llanilltud Nedd**), *ardal*, Baglan, Morg.	21/8096
Llanilltud Faerdref (**Llantwit Fardre**), *pl.*, *p.*, Morg.	31/0886
Llanilltud Fawr (**Llantwit Major**), *pl.*, *t.*, Morg.	21/9668
Llanilltud Gŵyr (**Ilston**), *pl.*, *p.*, Morg.	21/5590
Llanina, *pl.*, *p.*, Cer.	22/4059
Llanio, gw. **Pontllanio.**	
Llanisien (**Llanishen**), *p.*, Caerdydd, Morg.	31/1781
Llanisien (**Llanishen**), *p.*, Tryleg, Myn.	32/4703
Llanismel (**Llanishmel**) (**St. Ishmael**), *pl.*, *eg.*, Caerf.	22/3608
Llaniwared, *ardal*, Llangurig, Tfn.	22/8877
Llan-lwy (**Llandeloy**), *pl.*, *p.*, Penf.	12/8526
Llanllawddog, *pl.*, *eg.*, Caerf.	22/4529
Llanllawen, *p.*, Aberdaron, Caern.	23/1425
Llanllawern (**Llanllawer**), *pl.*, *eg.*, Penf.	12/9836
Llanllechid, *pl.*, *p.*, Caern.	23/6268
Llanlleiana, *hyn.*, Llanbadrig, Môn.	23/3894
Llanlleonfel, gw. **Llanllywenfel.**	
Llanllibio, *ardal*, *hyn.*, Bodedern, Môn.	23/3381
Llanlluan, gw. **Capel Llanlluan.**	
Llanllugan, *pl.*, *p.*, Tfn.	33/0502
Llan-llwch, *eg.*, *ardal*, Sain Pedr, Caerf.	22/3818
Llanllwchaearn, *pl.*, *p.*, Cer.	22/3857
pl., *eg.*, Tfn.	32/1292
Llanllwni, *pl.*, *p.*, Caerf.	22/4741
Llanllyfni, *pl.*, *p.*, Caern.	23/4751
Llanllŷr, *plas*, Llanfihangel Ystrad, Cer.	22/5455
Llanllŷr(-yn-Rhos) (**Llanyre**), *pl.*, *p.*, Maesd.	32/0462
Llanllywel, *p.*, Llantrisaint Fawr, Myn.	31/3998
Llanllywenfel (**Llanlleonfel**), *pl.*, *eg.*, Brych.	22/9349
Llanmadog, *pl.*, *p.*, Morg.	21/4493
Llanmaes, gw. **Llan-faes.**	
Llanmartin, gw. **Llanfarthin.**	
Llanmerewig, gw. **Llamyrewig.**	
Llanmihangel, gw. **Llanfihangel y Bont-faen.**	
Llanmorlais, *p.*, Llanrhidian Uchaf, Morg.	21/5294
Llannarth, *pl.*, *p.*, Cer.	22/4257

67

Llannefydd, gw. **Llanefydd.**

Llannerch, *ff.,* Trefdraeth, Penf.	22/0535
plas, Trefnant, Dinb.	33/0572
Llannerch Aeron, *ardal,* Henfynyw, Cer.	22/4760
Llannerch Banna (Penley), *pl., p.,* Ffl.	33/4139
Llannerchfydaf, *ardal,* Llanymawddwy, Meir.	23/8917
Llannerch Hudol, *plas,* Y Trallwng, Tfn.	33/2007
Llannerchrochwel (Llannerch Frochwel), *plas,* Cegidfa, Tfn.	33/1910
Llannerch-y-medd, *pl., p.,* Môn.	23/4184
Llannerch-y-môr, *ardal,* Chwitffordd, Ffl.	33/1779
Llannewydd (Newchurch), *pl., eg.,* Caerf.	22/3824
Llan-non, *pl., p.,* Caerf.	22/5408
p., Llansanffraid, Cer.	22/5167
ff., Llanrhian, Penf.	12/8331
Llannor, *pl., p.,* Caern.	23/3537
Llanofer Fawr (Llanover), *pl., p., plas,* Myn.	32/3108
Llanpumsaint, *pl., p.,* Caerf.	22/4129
Llanrug, *pl., p.,* Caern.	23/5363
Llanrwst, *pl., t.,* Dinb.	23/7961
Llanrhaeadr-yng-Nghinmeirch, *pl., p., plas,* Dinb.	33/0863
Llanrhaeadr-ym-Mochnant, *pl., p.,* Dinb. a Tfn.	33/1226
Llanrheithan, *pl., p.,* Penf.	12/8628
Llanrhian, *pl., p.,* Penf.	12/8131
Llanrhidian, *pl., p.,* Morg.	21/4992
Llan-rhos, *pl., p.,* Caern.	23/7880
Llan-rhudd, *p., plas,* Rhuthun, Dinb.	33/1357
Llanrhuddlad, *pl., p.,* Môn.	23/3389
Llanrhwydrys, *eg.,* Llanfair-yng-Nghornwy, Môn.	23/3293
Llanrhychwyn, *pl., ardal, eg.,* Caern.	23/7761
Llanrhyddlad, gw. **Llanrhuddlad.**	
Llanrhymni (Llanrumney), *ardal,* Caerdydd, Morg.	31/2181
Llanrhystud, *p.,* Llanrhystud Anhuniog/Mefenydd Cer.	22/5369
Llanrhystud Anhuniog (*nid* **Haminiog**), *pl.,* Cer.	22/5767
Llanrhystud Mefenydd, *pl.,* Cer.	22/5669
Llansadwrn, *pl., p.,* Caerf.	22/6931
pl., eg., Môn.	23/5575
Llansadyrnin, *p.,* Llanddowror, Caerf.	22/2810
Llan Sain Siôr (St. George), *p.,* Abergele, Dinb.	23/9775
Llan-saint, *p.,* Llanismel, Caerf.	22/3808
Llansamlet, *p.,* Abertawe, Morg.	21/6997
Llansanffraid, *pl., p.,* Cer.	22/5167
pl., p., Brych.	32/1223
eg., plas, Llan-arth Fawr, Myn.	32/3510
Llansanffraid-ar-Elái (St. Bride's-super-Ely), *pl., p.,* Morg.	31/0977

Llansanffraid-ar-Ogwr (**St. Bride's Minor**), *pl., p.,* Morg.	21/9184
Llansanffraid Cwmteuddwr, *pl., p.,* Maesd.	22/9667
Llansanffraid Deuddwr (**Deythur**), *pl.,* Tfn.	33/2118
Llansanffraid Glan Conwy, *pl., p.,* Dinb.	23/8076
Llansanffraid Glynceiriog, *pl., p.,* Dinb.	33/2038
Llansanffraid Glyndyfrdwy, *pl.,* Meir.	33/0944
Llansanffraid Gwynllŵg (**St. Bride's Wentlloog**), *pl., p.,* Myn.	31/2982
Llansanffraid-ym-Mechain (*nid* **Ll. Pool**), *pl., p.,* Tfn.	33/2120
Llansanffraid-yn-Elfael, *pl., p.,* Maesd.	22/9954
Llansannan, *pl., p.,* Dinb.	23/9365
Llansannor, gw. **Llansanwyr**.	
Llansantffraed-in-Elwell, gw. **Llansanffraid-yn-Elfael**.	
Llansantffread, gw. **Llansanffraid**.	
Llansanwyr, *pl., eg., plas,* Morg.	21/9977
Llansawel, *pl., p.,* Caerf.	22/6236
Llansawel (**Briton Ferry**), *t.,* Castell-nedd, Morg.	21/7494
Llansbyddyd, *pl., p.,* Brych.	32/0128
Llansilin, *pl., p.,* Dinb.	33/2028
Llan-soe (**Llandysoe**)(**Llansoy**),*p.,* Llan-gwm, Myn.	32/4402
Llanspyddid, gw. **Llansbyddyd**.	
Llanstadwel, *pl., p.,* Penf.	12/9404
Llansteffan, *pl., p.,* Caerf.	22/3410
pl., eg., Maesd.	32/1142
Llanstinan, *pl., eg.,* Penf.	12/9533
plas	12/9532
Llantarnam (**Nant Teyrnon**), *abaty.* Llanfihangel Llantarnam, Myn.	31/3192
Llan-teg, *p.,* Cronwern, Penf.	22/1810
Llanthewy Rytherch, gw. **Llanddewi Rhydderch**.	
Llanthewy Skirrid, gw. **Llanddewi Ysgyryd**.	
Llanthewy Vach, gw. **Llanddewi Fach**.	
Llanthony, gw. **Llanddewi Nant Hodni**.	
Llantilio Crossenny, gw. **Llandeilo Gresynni**.	
Llantilio Pertholey, gw. **Llandeilo Bertholau**.	
Llantood (**Llantwyd**), *pl., p.,* Penf.	22/1541
Llantriddyd, *pl., p.,* Morg.	31/0472
Llantrisaint, *pl.,* Môn.	23/3683
Llantrisaint (**Llantrissent**) **Fawr**, *pl., p.,* Myn.	31/3996
Llantrisant, *pl., t.,* Morg.	31/0483
Llantrithyd, gw. **Llantriddyd**.	
Llantwit Fardre, gw. **Llanilltud Faerdref**.	
Llantwit-juxta-Neath, gw. **Llanilltud Fach**.	
Llantwit Major, gw. **Llanilltud Fawr**.	

Llantydewi (St. Dogwells), *pl.*, *p.*, Penf.   12/9427
Llantysilio, gw. **Llandysilio.**
Llan-ust, *ff.*, Abergwaun, Penf.   12/9635
Llanuwchllyn, *pl.*, *p.*, Meir.   23/8730
Llanvaches, gw. **Llanfaches.**
Llanvair Discoed, gw. **Llanfair Isgoed.**
Llanvapley, gw. **Llanfable.**
Llanvetherine, gw. **Llanwytherin.**
Llanvihangel Crucorney, gw. **Llanfihangel Crucornau.**
Llanvihangel Gobion, gw. **Llanfihangel-y-gofion.**
Llanvihangel Llantarnam, gw. **Llanfihangel Llantarnam.**
Llanvihangel near Roggiett, gw. **Llanfihangel.**
Llanvihangel Torymynydd, gw. **Llanfihangel Torymynydd.**
Llanvihangel Ystern Llewern, gw. **Llanfihangel Ystum Llywern.**
Llanvithyn, gw. **Llanfeuthin.**
Llanwarw (Llanwynoro) (Wonastow), *p.*, *plas*, 32/4810
Llanfihangel Troddi, Myn.
Llanwddyn, *pl.*, *p.*, Tfn.   33/0219
Llanwenarth, *eg.*, Llan-ffwyst Fawr, Myn.   32/2714
Llanwenllwyfo, *eg.*, Llaneilian, Môn.   23/4789
Llanwenog, *pl.*, *p.*, Cer.   22/4945
Llan-wern, *pl.*, *p.*, *plas*, Myn.   31/3688
Llanwinio, *pl.*, *p.*, Caerf.   22/2626
Llanwnda, *pl.*, *p.*, Caern.   23/4757
    pl., *p.*, Penf.   12/9339
Llanwnnen, *pl.*, *p.*, Cer.   22/5347
Llanwnnog, *pl.*, *p.*, Tfn.   32/0293
Llanwnnws, *eg.*, Gwnnws Isaf, Cer.   22/6969
Llanwonno, gw. **Llanwynno.**
Llanwrda, *pl.*, *p.*, Caerf.   22/7131
Llanwrin, *pl.*, *p.*, Tfn.   23/7803
Llanwrtyd, *pl.*, *p.*, Brych.   22/8746
Llanwrthwl, *pl.*, *p.*, Brych.   22/9763
Llanwyddelan, *pl.*, *p.*, Tfn.   33/0801
Llanwynell (Wolvesnewton), *eg.*, *ardal*, Devauden, 31/4599
Myn.
Llanwynno, *pl.*, *eg.*, Morg.   32/0395
Llanwynoro, gw. **Llanwarw (Wonastow).**
Llanwytherin (Llanvetherine), *p.*, Grysmwnt 32/3617
Fawr, Myn.
Llan-y-bri (Llanddewi Forbri), *p.*, Llansteffan, 22/3312
Caerf.
Llanybydder, *pl.*, *p.*, Caerf.   22/5244
Llan-y-cefn, *pl.*, *p.*, Penf.   22/0923

Llanycil, *pl.*, *p.*, Meir.	23/9134
Llan-y-crwys, gw. Llan-crwys.	
Llanychaearn, *pl.*, *eg.*, Cer.	22/5878
Llanychan, gw. Llanhychan.	
Llanychâr, *pl.*, *p.*, Penf.	12/9835
Llanychlwydog, *pl.*, Penf.	22/0135
Llanynghenedl, *pl.*, *p.*, Môn.	23/3180
Llanymawddwy, *pl.*, *p.*, Meir.	23/9019
Llanymddyfri (ffurf lafar, **Llandyfri**)	22/7634
(**Llandovery**), *bd.*, Llandingad, Caerf.	
Llanymynech, *p.*, Carreghwfa, Tfn./Lloegr.	33/2620
Llanynys, *pl.*, Brych.	22/9949
pl., *p.*, Dinb.	33/1062
Llanyre, gw. Llanllŷr.	
Llanystumdwy, *pl.*, *p.*, Caern.	23/4738
Llan-y-tair-mair (**Knelston**), *pl.*, *p.*, Morg.	21/4688
Llan-y-wern, *pl.*, *p.*, Brych.	32/1028
Llawhaden, gw. Llanhuadain.	
Llawllech, *m.*, Llanddwywe-is-y-graig/Llanaber, Meir.	23/6321
Llawndy, *p.*, Llanasa, Ffl.	33/1183
Llawr-y-glyn, *p.*, Trefeglwys, Tfn.	22/9391
Llay, gw. Llai.	
Llecheiddior, *ardal*, Dolbenmaen, Caern.	23/4743
Llech-faen, *p.*, Llanhamlach, Brych.	32/0828
Llech Gron, *hyn.*, Llansanffraid/Llanbadarn Trefeglwys, Cer.	22/5464
Llechgynfarwy (**Llangynfarwy**) (**Llechcynfar-wydd**), *pl.*, Môn.	23/3881
Llech Idris, *hyn.*, Trawsfynydd, Meir.	23/7331
Llechlydan, *y.*, Pistyll, Caern.	23/3343
Llechryd, *p.*, Llangoedmor, Cer.	22/2143
hyn., Meifod, Tfn.	33/1916
pl., *p.*, Myn.	32/1009
Llechwedd **Bryniau Defaid**, *bryn*, Eidda, Caern.	23/7845
Llechwedd **Hirgoed**, *m.*, Llangurig, Tfn.	22/8183
Llechwedd **Llyfn**, *llechwedd*, Llanfor, Meir.	23/8544
Llechylched, *pl.*, Môn.	23/3476
Lled Croen yr Ych, *hyn.*, Llanbryn-mair, Tfn.	23/9000
Lledrod, *p.*, Lledrod Isaf, Cer.	22/6470
ff., Llansilin, Dinb.	33/2229
Lledrod Isaf, *pl.*, Cer.	22/6368
Uchaf, *pl.*, Cer.	22/6766
Lledwigan, *ff.*, Llangristiolus, Môn.	23/4574
Lle'r Gaer, *hyn.*, Llantrisant, Morg.	31/0487
Lletybrongu, *ardal*, Cwm-du/Betws, Morg.	21/8789
Lletygynfarch, *ardal*, Ffordun, Tfn.	33/2502

71

Lleuar, *ff.*, Clynnog, Caern.	23/4551
Lleweni (Llyweni), *plas*, Henllan, Dinb.	33/0868
Llidiardau, *ardal*, Aberdaron, Caern.	23/1929
ardal, Llanycil, Meir.	23/8738
Llidiartnennog (Llidiadnennog), *ff.*, *cp.*,	22/5437
Llanfihangel Rhos-y-corn/Llanybydder, Caerf.	
Llidiart y Barwn, *man*, Mallwyd, Meir.	23/9012
Llidiart-y-waun, *ardal*, Llandinam, Tfn.	22/9981
Llifior, *n.*, Tregynon/Aberriw, Tfn.	32/1698
Llithfaen, *p.*, Pistyll, Caern.	23/3543
Lliwedd, Y, *m.*, Beddgelert, Caern.	23/6253
Lloc, *p.*, Chwitffordd, Ffl.	33/1376
Llong, *p.*, Yr Wyddgrug, Ffl.	33/2662
Lloran-isaf, *ff.*, Llansilin, Dinb.	33/1827
-uchaf, *plas*, Llansilin, Dinb.	33/1627
Llowes, *pl.*, *p.*, Maesd.	32/1941
Llugwy, *b.*, Penrhosllugwy, Môn.	23/4886
plas, Pennal, Meir.	22/7199
Llundain-fach, *p.*, Nancwnlle, Cer.	22/5556
Llwydarth, *plas*, Cwm-du, Morg.	21/8590
Llwydcoed, gw. **Llwytgoed.**	
Llwydiarth, *ff.*, Llanfihangel-yng-Ngwynfa, Tfn.	33/0516
Llwyn Bryndinas, *hyn.*, Llanrhaeadr-ym-	33/1724
Mochnant, Dinb.	
Llwyncelyn, *ff.*, Cilgerran, Penf.	22/2042
p., Llannarth, Cer.	22/4459
Llwyndafydd, *p.*, Llandysiliogogo, Cer.	22/3755
Llwyndyrys, *plas*, Llandygwydd, Cer.	22/2343
Llwyneliddon (St. Lythan's), *pl.*, *eg.*, Morg.	31/1072
Llwyn-gwair, *plas*, *hyn.*, Nyfer, Penf.	22/0739
Llwyngwril, *p.*, Llangelynnin, Meir.	23/5909
Llwynhendy, *p.*, Llanelli, Caerf.	21/5399
Llwyn-llwyd, *ff.*, Llanigon, Brych.	32/2039
Llwyn-mawr, *p.*, Glyntraean, Dinb.	33/2236
Llwynpiod, *ardal*, Aberteifi, Cer.	22/1747
cp., Llanbadarn Odwyn, Cer.	22/6460
Llwynrhydowen, *cp.*, *ff.*, Llandysul, Cer.	22/4444
Llwyn-y-grant, *ff.*, Llanedern, Morg.	31/1979
Llwyn-y-groes, *p.*, Gartheli, Cer.	22/5956
Llwynypia, *p.*, Rhondda, Morg.	21/9993
Llwyn-yr-hwrdd, *ardal*, Clydau, Penf.	22/2232
Llwytgoed, *p.*, Aberdâr, Morg.	22/9904
Llwytmor, *m.*, Aber, Caern.	23/6869
Llyfanod, *p.*, Ysgeifiog, Ffl.	33/1473
Llyfnant, *a.*, Isygarreg, Tfn./Ysgubor-y-coed,	22/7297
Cer.	
Llygadcleddy, *ff.*, Llanfair Nant-y-gof, Penf.	12/9733

Llyn Aled, Llansannan, Dinb. 23/9157
Alwen, Pentrefoelas/Cerrigydrudion, 23/8956–9353
Dinb.
Anhafon, Aber, Caern. 23/6969
Aran, Brithdir ac Islaw'r-dref, Meir. 23/7313
Archaeddon, Penrhosllugwy, Môn. 23/4685
Arennig Fach, Llanycil, Meir. 23/8241
Arennig Fawr, Llanycil, Meir. 23/8438
Bach (Llyn y Tri Greyenyn), Tal-y-llyn, 23/7513
Meir.
Barfog, Towyn, Meir. 22/6598
Berwyn, Caron-is-clawdd, Cer. 22/7456
Bochlwyd, Capel Curig, Caern. 23/6559
Bowydd, Ffestiniog, Meir. 23/7246
Brân, Nantglyn, Dinb. 23/9659
Bwlch-y-moch, Betws Garmon, Caern. 23/5653
Caer Euni, gw. **Llyn Creini.**
Caerwych, Llandecwyn, Meir. 23/6435
Carw, Llanwrthwl, Brych. 22/8561
Cau, Tal-y-llyn, Meir. 23/7112
Celyn, Llanycil, Meir. 23/8540
Cerrig Llwydion, Llansanffraid Cwmteu- 22/8469
ddwr, Maesd.
Clogwyn Brith, Ffestiniog, Meir. 23/6646
Cnwch, Llanfachreth, Meir. 23/7320
Coch, Betws Garmon, Caern. 23/5954
Coch-hwyad, Garthbeibio, Tfn. 23/9211
Conglog, Ffestiniog, Meir. 23/6747
Conach, Ysgubor-y-coed, Cer. 22/7393
Conwy, Penmachno, Caern. 23/7846
Coron, Llangadwaladr/Trefdraeth, Môn. 23/3770
Corsybarcud, Trawsfynydd, Meir. 23/7639
Cowlyd, Dolgarrog/Llanrhychwyn, Caern. 23/7262
Crafnant, Llanrhychwyn, Caern. 23/7460
Craigypistyll, Ceulan-a-Maesmor/ 22/7285
Tirymynach, Cer.
Creini, Llandderfel/Llanfor, Meir. 23/9840
Croesor, Llanfrothen, Meir. 23/6645
Crugnant, Caron-uwch-clawdd, Cer. 22/7561
Crych-y-waun, Llanuwchllyn, Meir. 23/8129
Cwellyn, Betws Garmon, Caern. 23/5555
Cwmbychan, Llanfair/Llanbedr, Meir. 23/6431
Cwmcorsiog, Ffestiniog, Meir. 23/6647
Cwmdulyn, Llanllyfni/Clynnog, Caern. 23/4949
Cwmffynnon, Llanberis, Caern. 23/6456
Cwm-llwch, Modrydd, Brych. 32/0022
Cwm-mynach, Llanelltud, Meir. 23/6723

Llyn Cwmorthin, Ffestiniog, Meir.   23/6746
Cwmystradllyn, Dolbenmaen, Caern.   23/5644
Cynwch, gw. **Cnwch.**
Dinam, Llanfair-yn-neubwll, Môn.   23/3177
Dinas, Beddgelert, Caern.   23/6149
Du, Caron-uwch-clawdd, Cer.   22/7661
    Llanwnnog, Tfn.   32/0096
Dubach, Ffestiniog, Meir.   23/7146
Dulyn, Caerhun, Caern.   23/7066
Du'r Arddu, Llanberis, Caern.   23/6055
Dwfn, Ysgubor-y-coed, Cer.   22/7392
Dwythwch, Llanberis, Caern.   23/5757
Ebyr, Trefeglwys/Llanidloes, Tfn.   22/9788
Edno, Beddgelert, Caern.   23/6649
Efyrnwy (Vyrnwy) (Llanwddyn), Llan-   23/9722
    wddyn/Llangynog, Tfn.
Egnant, Caron-uwch-clawdd, Cer.   22/7967
Eiddew Bach, Llandecwyn/Talsarnau, Meir.   23/6434
        Mawr, Talsarnau, Meir.   23/6433
Eiddwen, Llangwyryfon/Llanrhystud   22/6066
    Anhuniog/Blaenpennal, Cer.
Eigiau, Caerhun/Dolgarrog, Caern.   23/7265
Fach, Blaen-gwrach, Morg.   22/9003
Fanod, Llangeitho/Blaenpennal, Cer.   22/6064
Fawr, Y Rhigos, Morg.   22/9103
Fyrddon Fach, Ysbyty Ystwyth, Cer.   22/7970
       Fawr, Ysbyty Ystwyth, Cer.   22/8070
Ffridd(-y-bwlch), Ffestiniog, Meir.   23/6948
Ffynnon-y-gwas, Betws Garmon, Caern.   23/5955
Gafr, Brithdir ac Islaw'r-dref, Meir.   23/7114
Geirionnydd, Llanrhychwyn, Caern.   23/7660
Gelli-gain, Trawsfynydd, Meir.   23/7332
Glas, Llanberis, Caern.   23/6155
Glasfryn, Llanystumdwy, Caern.   23/4042
Gorast, Caron-uwch-clawdd, Cer.   22/7963
Gwernan, Brithdir ac Islaw'r-dref, Meir.   23/1670
Gwyddïor, Llanbryn-mair/Llanerfyl, Tfn.   23/9307
Gwyn, Nantmel, Maesd.   32/0164
Gwynant, Beddgelert, Caern.   23/6451
Gynon, Caron-uwch-clawdd, Cer.   22/7964
Hafodol, Carreg-lefn, Môn.   23/3989
Heilyn, Llanfihangel Nant Melan, Maesd.   32/1658
Helyg, Chwitffordd, Ffl.   33/1177
Hendref, Trewalchmai/Bodwrog, Môn.   23/3976
Hesgin, Llanfor, Meir.   23/8844
Hir, Caron-uwch-clawdd, Cer.   22/7867
Hiraethlyn, gw. **Hiraethlyn.**

Llyn Hywel, Llanenddwyn, Meir.	23/6626
Idwal, Llandygái, Caern.	32/6459
Irddyn, Llanddwywe-is-y-graig, Meir.	23/6222
Iwerddon, Ffestiniog, Meir.	23/6847
Login, Merthyr Cynog, Brych.	32/0044
Llaethdy, Amlwch, Môn.	23/4491
Llagi, Beddgelert, Caern.	23/6448
Llan-gors, gw. **Llyn Syfaddan.**	
Llech Owen, Llanarthne, Caerf.	22/5615
Llennyrch, Llandecwyn, Meir.	23/6537
Lliwbrân, gw. **Llyn Llymbren.**	
Llydaw, Beddgelert, Caern.	23/6254
Llygad Rheidol, Trefeurig, Cer.	22/7987
Llygeirian, Llanfechell/Llanrhuddlad/	23/3489
Llanbabo, Môn.	
Llymbren, Llanuwchllyn, Meir.	23/8725
Llywenan, Bodedern, Môn.	23/3481
Maelog, Llanfaelog, Môn.	23/3272
Maen Bras, Llanfor, Meir.	23/9239
Mair, Ffestiniog, Meir.	23/6541
Mawr, Llanwnnog, Tfn.	32/0097
Moelfre, Llansilin, Dinb.	33/1728
Myngul, Tal-y-llyn, Meir.	23/7109
Mynyllod, Llandderfel/Llandrillo, Meir.	33/0140
Nadroedd, Betws Garmon, Caern.	23/5954
Nantlle, Caern.	23/5153
Llynnau Barlwyd, Ffestiniog, Meir.	23/7148
Cerrig-y-myllt, Beddgelert, Caern.	23/6347
Cregennen, Llangelynnin/Brithdir ac	23/6614
Islaw'r-dref, Meir.	
Cwm Silyn, Llanllyfni, Caern.	23/5150
Diffwys, Llanfrothen, Meir.	23/6546
Duweunydd, Dolwyddelan, Caern.	23/6853
Gamallt, Ffestiniog, Meir.	23/7444
Mymbyr, Capel Curig, Caern.	23/7057
Llynnau'r Cŵn, Beddgelert, Caern.	23/6648
Llynnoedd Ieuan, Cwmrheidol, Cer.	22/7981
Llyn Ogwen, Llanllechid, Caern.	23/6560
Padarn, Llanddeiniolen/Llanrug/Llanberis,	23/5661
Caern.	
Padrig, Aberffro, Môn.	23/3672
Pencarreg, Pencarreg, Caerf.	22/5345
Llynpenmaen (Penmaen-pŵl), *p.*, Brithdir ac	23/6918
Islaw'r-dref, Meir.	
Llyn Penrhyn, Llanfair-yn-neubwll, Môn.	23/3176
Perfeddau, Llanenddwyn, Meir.	23/6526
Peris, Llanberis, Caern.	23/5959

Llyn Pryfed, Trawsfynydd, Meir.   23/6632
    Rhuddnant, Llanfihangel-y-Creuddyn Uchaf,   22/8078
    Cer.
    Serw, Tir Ifan, Dinb.   23/7742
    Stwlan, Ffestiniog, Meir.   23/6644
    Syfaddan, Llan-gors/Llangasty Tal-y-llyn/   32/1326
    Cathedin, Brych.
    Tecwyn Uchaf, Llandecwyn, Meir.   23/6438
    Tegid, Meir.   23/9032
    Teifi, Gwnnws Uchaf/Caron-uwch-clawdd,   22/7867
    Cer.
    Teyrn, Beddgelert, Caern.   23/6454
    Traffwll, Llanfair-yn-neubwll, Môn.   23/3277
    Trawsfynydd, Maentwrog/Trawsfynydd,   23/6936
    Meir.
    Tryweryn, Trawsfynydd/Llanycil, Meir.   23/7838
    y Bi, Llanddwywe-uwch-y-graig, Meir.   23/6726
    y Biswail, Beddgelert, Caern.   23/6447
    y Cau, Tal-y-llyn, Meir.   23/7112
    y Cwrt, Pentrefoelas, Dinb.   23/9051
    y Dywarchen, Betws Garmon, Caern.   23/5653
           Ffestiniog, Meir.   23/7641
    y Fan Fach, Llanddeusant, Caerf.   22/8021
    y Fan Fawr, Traean-glas, Brych.   22/8321
    y Fign, Mallwyd/Llanymawddwy, Meir.   23/8319
    y Fignen-felen, Cwarter Bach, Caerf.   22/7118
    y Foel Frech, Llansannan, Dinb.   23/9159
    y Frithgraig, Penmachno, Caern.   23/7445
    y Ffynhoniau, Llandwrog, Caern.   23/5255
    y Gadair, Betws Garmon, Caern.   23/5652
           Brithdir ac Islaw'r-dref, Meir.   23/7013
    y Garnedd Uchaf, Ffestiniog, Meir.   23/6542
    y Gorlan, Caron-uwch-clawdd, Cer.   22/7866
    y Gwaith, Llanddewibrefi/Llanfair Clydogau,   22/6750
    Cer.
    y Manod, Ffestiniog, Meir.   23/7144
    y Morynion, Ffestiniog, Meir.   23/7342
           Llanbedr, Meir.   23/6530
    y Mynydd, Llandygái, Caern.   23/5964
    yr Adar, Beddgelert, Caern.   23/6548
    yr Oerfel, Maentwrog, Meir.   23/7138
    y Tarw, Llanwnnog/Aberhafesb, Tfn.   32/0297
    y Tri Greyenyn, gw. **Llyn Bach.**
Llys Bradwen, *hyn.*, Llangelynnin, Meir.   23/6513
Llysdinam, *pl.*, *plas*, Brych.   32/0058
Llys Dinmael, *hyn.*, Llangwm, Dinb.   33/0044
    Dinorwig, *hyn.*, Llanddeiniolen, Caern.   23/5465

Llys Dorfil, *hyn.*, Ffestiniog, Meir.	23/6944
Euryn, *hyn.*, Llandrillo-yn-Rhos, Dinb.	23/8380
Llysfaen, *p.*, Llandrillo-yn-Rhos, Dinb.	23/8977
Llys-faen (Lisvane), *pl.*, *p.*, Morg.	31/1983
Llysfasi, *ff.*, Llanfair Dyffryn Clwyd, Dinb.	33/1452
Llystyn-gwyn, *ff.*, Dolbenmaen, Caern.	23/4845
Llys-wen, *pl.*, *p.*, Brych.	32/1337
Llyswyrny (Llysworney), *pl.*, *p.*, Morg.	21/9674
Llys-y-frân, *pl.*, *p.*, Penf.	22/0424
Llysyfronydd, gw. **Llyswyrny.**	
Llywel, *p.*, Traean-mawr, Brych.	22/8730
Llywele, *ff.*, Llansawel, Caerf.	22/5736
Llyweni, gw. **Lleweni.**	
Llywernog, *ardal*, Cwmrheidol, Cer.	22/7380

M

Mabws, *ff.*, Llanrhystud Anhuniog, Cer.	22/5668
Machen, *pl.*, *p.*, Myn.	31/2189–2288
Machynlleth, *pl.*, *t.*, Tfn.	23/7400
Machynys, *ardal*, Llanelli, Caerf.	12/5198
Madrun, *plas*, Buan, Caern.	23/2836
Maelienydd (*nid* **Moelynaidd**), *ardal*, Llanbister, Maesd.	32/1270
Maen Achwyfan, *hyn.*, Chwitffordd, Ffl.	33/1278
Maenaddwyn, *p.*, Llanfihangel Tre'r-beirdd, Môn.	23/4584
Maen Addwyn, *hyn.*, Llanfihangel Tre'r-beirdd, Môn.	23/4683
Maenan, *pl.*, *abaty*, *plas*, Caern.	23/7866
Maen Beuno, *hyn.*, Aberriw, Tfn.	33/2001
Maen Bras, *hyn.*, Betws Garmon, Caern.	23/5855
Maenclochog, *pl.*, *p.*, Penf.	22/0827
Maen Colman, *hyn.*, Capel Colman, Penf.	22/2138
Maen-du'r Arddu, *m.*, Llanberis, Caern.	23/5956
Maendy (Maindee), *ardal*, Casnewydd-ar-Wysg, Myn.	31/3289
Maendy, *ardal*, Caerdydd, Morg.	31/1678
Maendy, Y, *ff.*, Llanbedr-y-fro, Morg.	31/0778
p., Llanfleiddan, Morg.	31/0076
Maen Dylan (*nid* **Dulyn**), *craig*, Clynnog, Caern.	23/4252
Maen Iau, *y.*, Enlli, Caern.	23/1122
Maen Llwyd, *hyn.*, Darowen, Tfn.	22/8200; 8303
Maen Madog, *hyn.*, Ystradfellte, Brych.	22/9115
Maenorbŷr (Manorbier), *pl.*, *p.*, Penf.	21/0697
Maenordeifi, *pl.*, *eg.*, Penf.	22/2240
Maenordeilo, *p.*, Llandeilo Fawr, Caerf.	22/6726

Maen Pebyll, *hyn.*, Llanrwst, Dinb.	23/8456
Maen Penddu, *hyn.*, Henryd, Caern.	23/7373
Maentwrog, *pl.*, *p.*, Meir.	23/6640
Maen Twrog, *hyn.*, Maentwrog, Meir.	23/6640
Maen y Bugail (West Mouse), *goleudy*, Llanfair- yng-Nghornwy, Môn.	23/3094
Maen y Morynion, *hyn.*, Y Fenni-fach, Brych.	32/0029
Maerdy, Y, *p.*, Llandeilo Bertholau, Myn.	32/3015
p., Llangwm, Dinb.	33/0144
p., Rhondda, Morg.	21/9798
Maerun (Marshfield), *pl.*, *p.*, Myn.	31/2682
Maes-car, *pl.*, Brych.	22/9425
Maes-glas (Greenfield), *p.*, Treffynnon, Ffl.	33/1977
Maes-glas, *ardal*, Casnewydd-ar-Wysg, Myn.	31/3085
Maesglasau, *m.*, *ardal*, Mallwyd, Meir.	23/8114
Maes-gwyn, *plas*, Llanboidy, Caerf.	22/2023
Maes-llwch, *ca.*, Y Clas-ar-Wy, Maesd.	32/1740
Maesllymystyn, *ardal*, Llangadfan, Tfn.	23/9711
Maes-llyn, *p.*, Llangynllo, Cer.	22/3644
Maesmachre, *ff.*, Cemais, Tfn.	23/8305
Maes-mawr, *ardal*, Penystrywaid, Tfn.	32/0590
Maesmor, *plas*, Llangwm, Dinb.	33/0144
Maesmynys, *pl.*, Brych.	32/0047
Maesteg, *t.*, Cwm-du, Morg.	21/8591
Maesteilo, *eg.*, *plas.*, Llandeilo Fawr, Caerf.	22/5826
Maestregymer, *ardal*, Trefeglwys, Tfn.	22/9692
Maes-y-bont, *p.*, Llanarthne, Caerf.	22/5616
Maes y Castell, *hyn.*, Llandeilo Fawr, Caerf.	22/6327
Maesycrugiau, *plas*, *ardal*, Llanllwni, Caerf.	22/4740
(Plwmp), *p.*, Llandysiliogogo, Cer.	22/3652
Maesycwmer, *p.*, Bedwas, Myn.	31/1594
Maesyfed (New Radnor), *pl.*, *t.*, Maesd.	32/2160
Maes y Gaer, *hyn.*, Aber, Caern.	23/6672
Maesygarnedd, *ff.*, Llanbedr, Meir.	23/6426
Maesymeillion, *ardal*, Llandysul, Cer.	22/4146
Maesyronnen, *cp.*, Y Clas-ar-Wy, Maesd.	32/1741
Magwyr (Magor), *pl.*, *p.*, Myn.	31/4287
Maindee, gw. **Maendy.**	
Malpas, *p.*, Casnewydd-ar-Wysg, Myn.	31/3090
Malláen, gw. **Mynydd Malláen.**	
Malltraeth (Cors Ddyga), *cors*, Môn.	23/4471
Mallwyd, *pl.*, *p.*, Meir.	23/8612
Mamheilad, *p.*, Goetre Fawr, Myn.	32/3003
Manafon, *pl.*, *p.*, Tfn.	33/1102
Man-moel, *p.*, Bedwellte, Myn.	32/1803
Manod Bach, *m.*, Ffestiniog, Meir.	23/7144
Mawr, *m.*, Ffestiniog, Meir.	23/7244

Manorbier, gw. **Maenorbŷr.**
Manorowen (Farnowen), *pl.*, *p.*, Penf. 12/9336
Marcroes (Marcross), *pl.*, *p.*, Morg. 21/9269
Marchnant, *n.*, *ff.*, Llanwrthwl, Brych. 22/9061
  n., Ysbyty Ystwyth/Gwnnws Uchaf, 22/7469
  Cer.
Marchwiail (Marchwiel), *pl.*, *p.*, Dinb. 33/3547
Mardy, gw. **Maerdy.**
Marddwr, *n.*, Tir Ifan, Dinb. 23/8344
Margam, *p.*, *abaty*, *plas*, Port Talbot, Morg. 21/7986
Marial Gwyn, *m.*, Llanrhaeadr-yng-Nghinmeirch/ 23/9955
 Y Gyffylliog/Cerrigydrudion, Dinb.
Marian-glas, *p.*, Llaneugrad, Môn. 23/5084
Marloes, *pl.*, *p.*, Penf. 12/7908
Marros, *p.*, Eglwys Gymyn, Caerf. 22/2008
Marshfield, gw. **Maerun.**
Mathri (Mathry), *pl.*, *p.*, Penf. 12/8731
Mathafarn, *ff.*, Llanwrin, Tfn. 23/8004
Matharn, *pl.*, *p.*, Myn. 31/5291
Mathrafal, *ff.*, Llangynyw, Tfn. 33/1211
  ca., Llangynyw, Tfn. 33/1310
Mawr, *pl.*, Morg. 22/6405
Mefenydd, gw. **Llanrhystud Mefenydd.**
Meidrim, *pl.*, *p.*, Caerf. 22/2820
Meifod, *pl.*, *p.*, Tfn. 33/1513
Meinciau, *p.*, Llangyndeyrn, Caerf. 22/4610
Meini Gwŷr, *hyn.*, Llandysilio, Caerf. 22/1426
Meiriadog, *ardal*, Llanelwy, Ffl. 33/0472
Meisgyn, *p.*, Llanwynno, Morg. 31/0498
  p., Llantrisant, Morg. 31/0480
Meliden, gw. **Allt Melyd.**
Melinbyrhedyn, *ardal*, Darowen, Tfn. 22/8198
Melincryddan, *ardal*, Castell-nedd, Morg. 21/7496
Melin-cwrt, *p.*, Resolfen/Y Clun, Morg. 22/8101
Melindwr, *a.*, Cer. 22/6781
  pl., Cer. 22/7384
Meline, *pl.*, Penf. 22/1234
Melingriffith (Melingruffudd), *ardal*, Yr Eglwys 31/1480
 Newydd, Morg.
Melin Ifan Ddu (Blackmill), *p.*, Llangeinwyr/ 21/9386
 Llangrallo, Morg.
Melin-y-coed, *p.*, Llanrwst, Dinb. 23/8160
Melin-y-wig, *p.*, Gwyddelwern, Meir. 33/0448
Mellteyrn, gw. **Sarn (Mellteyrn).**
Menai, Afon, *culfor*, Môn/Caern. 23/5167
Menai Bridge, gw. **Porthaethwy.**
Merthyr, *eg.*, Llannewydd, Caerf. 22/3520

79

Merthyr Cynog, *pl.*, *p.*, Brych.	22/9837
Merthyr Dyfan, *p.*, Y Barri, Morg.	31/1169
Merthyr Mawr, *pl.*, *p.*, Morg.	21/8877
Merthyr Tudful, *bd. sirol*, *pl.*, Morg.	32/0506

Merthyr Vale, gw. **Ynysowen.**
Michaelchurch-on-Arrow, gw. **Llanfihangel Dyffryn Arwy.**
Michaelston, Morg., gw. **Llanfihangel-ynys-Afan.**
Michaelston-le-Pit, gw. **Llanfihangel-y-pwll.**
Michaelston-super-Ely, gw. **Llanfihangel-ar-Elái.**
Michaelston-y-Vedw, gw. **Llanfihangel-y-fedw.**
Middletown, gw. **Treberfedd.**

Migneint, Y, *ardal*, *m.*, Caern./Dinb./Meir.	23/7642

Milford Haven, gw. **Aberdaugleddyf.**

Milffwrd (Milford), *pl.*, *t.*, Penf.	12/9005
Milltir Gerrig, *bw.*, Llandrillo, Meir./Llangynog, Tfn.	33/0230

Minera, gw. **Mwynglawdd.**

Minffordd, *p.*, Penrhyndeudraeth, Caern.	23/5938
Minllyn, *p.*, Mallwyd, Meir.	23/8514

Minwear, gw. **Mynwar.**
Miskin, gw. **Meisgyn.**
Mitchel Troy, gw. **Llanfihangel Troddi.**

Mochdre, *pl.*, *p.*, Tfn.	32/0788
p., Llandrillo-yn-Rhos, Dinb.	23/8278
Mochras, *g.*, Llanenddwyn, Meir.	23/5526
Modrydd, *pl.*, Brych.	22/9922
Moel* Arthur, *m.*, *hyn.*, Nannerch/Cilcain, Ffl./ Llandyrnog, Dinb.	33/1466
Bleiddiau, *m.*, Dolwyddelan, Caern.	23/6749
Bronymiod, *m.*, Llanaelhaearn, Caern.	23/4145
Corsygarnedd, *m.*, Llanfachreth, Meir.	23/7723
Cynordy, *m.*, Betws, Morg.	21/8890
Darren, *m.*, Llanfor, Meir.	23/9541
Derwydd, *m.*, Pentrefoelas, Dinb.	23/8856
Druman, *m.*, Dolwyddelan, Caern./Ffestiniog, Meir.	23/6747
Dyrnogydd, *m.*, Dolwyddelan, Caern.	23/6949
Dywyll, *m.*, Llangynhafal, Dinb./Cilcain, Ffl.	33/1463
Ddolwen, *bryn.*, *hyn.*, Llanerfyl, Tfn.	23/9807
Ddu, *m.*, Dolbenmaen/Beddgelert, Caern.	23/5744
m., Llanuwchllyn, Meir.	23/8727
m., Trawsfynydd, Meir.	23/7232
Eiddew, *m.*, Cemais, Tfn.	23/8605

* Gweler hefyd yr enwau ar ôl **Foel.**
See also under **Foel.**

Moel Eilio, *m.*, Dolgarrog, Caern. 23/7465
m., Betws Garmon/Llanberis/Waunfawr, 23/5557
Caern.
Eithinen, *m.*, Llanbedr Dyffryn Clwyd/ 33/1659
Llanarmon, Dinb.
Emoel, *m.*, Llanfor, Meir. 23/9340
Fama, *m.*, Dinb./Ffl. 33/1662
Farlwyd, *m.*, Dolwyddelan, Caern./ 23/7048
Ffestiniog, Meir.
Feliarth, *ardal*, Llangadfan, Tfn. 23/9813
Fodig, *hyn.*, Llansanffraid Glyndyfrdwy, Meir. 33/0945
Moelfre, *m.*, Cenarth/Llangeler, Caerf. 22/3235
m., Llandinam, Tfn. 22/9982
p., Llanallgo, Môn. 23/5186
p., Llansilin, Dinb. 33/1828
Moelfre-uchaf, *m.*, Betws-yn-Rhos, Dinb. 23/8971
Moel Garegog, *m.*, Llandegla, Dinb. 33/2152
Goedog, *m.*, Talsarnau/Llandanwg/Llanfair, 23/6132
Meir.
Grugor, *m.*, Llansannan, Dinb. 23/9662
Gwynnys, *bryn*, Pistyll, Caern. 23/3442
Gyw, *m.*, Llanbedr Dyffryn Clwyd/ 33/1757
Llanarmon-yn-Iâl, Dinb.
Hebog (Moel Ehedog), *m.*, Dolbenmaen/ 23/5646
Beddgelert, Caern.
Hiraddug, *m.*, *hyn.*, Cwm, Ffl. 33/0678
Iart, *m.*, Llandinam, Tfn. 32/0488
Lefn, *m.*, Dolbenmaen/Beddgelert, Caern. 23/5548
Llaethbwlch, *m.*, Llanfihangel-yng-Ngwynfa, 33/1016
Tfn.
Llanfair, *m.*, Llanfair Dyffryn Clwyd/ 33/1656
Llanarmon-yn-Iâl, Dinb.
Llechwedd Hafod, *m.*, Penmachno, Caern. 23/7548
Llyfnant, *m.*, Llanuwchllyn/Llanycil, Meir. 23/8035
Llyn, *m.*, Pentrefoelas, Dinb. 23/8957
Llys-y-coed, *m.*, Cilcain, Ffl. 33/1565
Maelogen, *m.*, Llanrwst, Dinb. 23/8461
Maenefa, *m.*, Tremeirchion, Ffl. 33/0874
Marchyria, *m.*, Penmachno, Caern. 23/7546
Meirch, *m.*, Beddgelert/Dolwyddelan, Caern. 23/6650
Morfudd, *m.*, Bryneglwys/Llandysilio, Dinb. 33/1545
Oernant, *m.*, Trawsfynydd, Meir. 23/7434
Orthrwm, *m.*, Llanfachreth, Meir. 23/7520
Penamnen, *m.*, Dolwyddelan, Caern./ 23/7148
Ffestiniog, Meir.
Penllechog, *m.*, Llanaelhaearn, Caern. 23/3846
Pen-y-bryn, *m.*, Penmachno, Caern. 23/7749

81

Moel Phylip, *m.,* Llanfor, Meir.   23/8741
  Plas-yw, *m.,* Nannerch/Cilcain, Ffl.   33/1566
  Rhiwlug, *m.,* Pentrefoelas, Dinb.   23/8855
  Siabod, *m.,* Capel Curig/Dolwyddelan, Caern.   23/7054
  Slatus, *m.,* Trawsfynydd/Llanuwchllyn/   23/7836
    Llanycil, Meir.
  Smytho, *m.,* Betws Garmon, Caern.   23/5257
  Sych, *m.,* Llanrhaeadr-ym-Mochnant, Dinb./   33/0631
    Tfn./Llandrillo, Meir.
  Trwyn-swch, *m.,* Tir Ifan, Dinb.   23/8044
  Tywysog, *m.,* Bylchau, Dinb.   23/9865
  Wnion, *m.,* Llanllechid/Aber, Caern.   23/6469
Moelwyn Bach, *m.,* Ffestiniog/Llanfrothen, Meir.   23/6543
    Mawr, *m.,* Ffestiniog/Llanfrothen, Meir.   23/6544
Moel y Cerrigduon, *m.,* Llanuwchllyn, Meir./   23/9224
    Llanwddyn, Tfn.
  y Dyniewyd, *m.,* Beddgelert, Caern.   23/6147
Moelydd Blaentafolog, *m.,* Cemais, Tfn.   23/8909
Moel y Faen, *m.,* Bryneglwys/Llandysilio, Dinb.   33/1847
  y Feidiog, *m.,* Trawsfynydd/Llanuwchllyn,   23/7832
    Meir.
  y Fronllwyd, *m.,* Llanfihangel-yng-Ngwynfa/   33/1117
    Llanfyllin, Tfn.
  y Gaer, *hyn.,* Llanbedr Dyffryn Clwyd, Dinb.   33/1461
    hyn., Llaneurgain, Ffl.   33/2169
  y Gamelin, *m.,* Bryneglwys/Llandysilio, Dinb.   33/1746
Moelygarnedd, *ardal,* Llanycil, Meir.   23/9340
Moel y Gaseg-wen, *m.,* Pentrefoelas/Llansannan,   23/9058
    Dinb.
  y Gest, *bryn,* Ynyscynhaearn, Meir.   23/5538
  y Golfa, *m.,* Tre-wern, Tfn.   33/2812
  y Gwelltyn, *m.,* Llansilin, Dinb.   33/1727
  y Llyn, *m.,* Garthbeibio, Tfn.   23/9415
  y Penmaen, *bryn,* Buan, Caern.   23/3338
  y Plas, *m.,* Llanfair Dyffryn Clwyd/   33/1655
    Llanarmon-yn-Iâl, Dinb.
  yr Henfaes, *m.,* Llangar/Llandrillo, Meir.   33/0738
  yr Hydd, *m.,* Ffestiniog, Meir.   23/6745
  Ysgediw (*nid* **Is-y-goedwig**), *ff.,* Llandrillo,   33/0437
    Meir.
  Ystradau, *m.,* Ffestiniog, Meir.   23/6843
  Yta, *m.,* Llanrhaeadr-yng-Nghinmeirch, Dinb.   33/0259
Mold, gw. **Wyddgrug, Yr.**
Monington, gw. **Eglwys Wythwr.**
Monknash, gw. **As Fawr, Yr.**
Monmouth, gw. **Trefynwy.**
Monnow, gw. **Afon Mynwy.**

Montgomery, gw. **Trefaldwyn.**
Morben, *plas,* Isygarreg, Tfn.   22/7199
Morfa Bychan, *morfa, p.,* Ynyscynhaearn, Caern.   23/5437
   Conwy (Conway Marsh), *morfa,* Conwy,   23/7678
   Caern.
   Gwent (Caldicot Level), *morfa,* Myn.   31/3884
   Gwyllt, *morfa,* Llanfrothen, Meir.   23/6041
   Harlech, *morfa,* Llandanwg/Talsarnau, Meir.   23/5633
Morfa-mawr, *ff.,* Llansanffraid, Cer.   22/5065
Morfa Mawr, *morfa,* Llandeilo Tal-y-bont, Morg.   22/5701
   Nefyn, *p.,* Nefyn, Caern.   23/2840
   Rhuddlan, *morfa,* Abergele, Dinb./   23/9778
   Bodelwyddan, Ffl.
Morfil, *pl., eg.,* Penf.   22/0330
Morganstown, gw. **Treforgan (Pentre-poeth).**
Morriston, gw. **Treforys.**
Morvil, gw. **Morfil.**
Mostyn, *p.,* Chwitffordd, Ffl.   33/1580
Mot, Y, (New Moat), *pl., p.,* Penf.   22/0625
Mountain Ash, gw. **Aberpennar.**
Moylgrove, gw. **Trewyddel.**
Mwdwl Eithin, *m.,* Cerrigydrudion, Dinb.   23/9153
Mwnt, Traeth y, Y Ferwig, Cer.   22/1951
Mwynglawdd (Minera), *pl., p.,* Dinb.   33/2751
Mydrim, gw. **Meidrim.**
Mydroilyn, *p.,* Llannarth, Cer.   22/4555
Myddfai, *pl., p.,* Caerf.   22/7730
Myfyrian, *ff.,* Llanidan, Môn.   23/4770
Mynachdy (Monachty), *ff.,* Llanbadarn   22/5062
   Trefeglwys, Cer.
Mynachlog-ddu, *pl., p.,* Penf.   22/1328
Mynachlog Nedd, *p., abaty,* Dyffryn Clydach, Morg. 21/7397
Mynwar (Minwear), *pl.,* Penf.   22/0312
Mynwent y Crynwyr (Quakers Yard), *p.,*   31/0996
   Merthyr Tudful, Morg.
Mynwent y Milwyr, *hyn.,* Llangrallo, Morg.   21/9585
Mynydd Abergwynfi, *m.,* Glyncorrwg, Morg.   21/8897
   Anelog, *bryn,* Aberdaron, Caern.   23/1527
   Bach, *m.,* Cer.   22/6065
Mynydd-bach, *p.,* Abertawe, Morg.   21/6597
         p., Drenewydd Gelli-farch, Myn.   31/4894
Mynydd Bach Trecastell, *m.,* Traean-glas, Brych. 22/8330
Mynydd-bach-y-cocs, *bryn,* Llanrhidian Uchaf, 21/5593
   Morg.
Mynydd Bedwellte, *m.,* Tredegar, Myn.   32/1406
   Beili-glas, *m.,* Y Rhigos, Morg.   22/9202
   Betws, gw. **Mynydd y Betws.**

Mynydd Blaenafan, *m.,* Glyncorrwg, Morg.   21/9096
    Blaengwynfi, *m.,* Glyncorrwg, Morg.   21/8997
    Blaenrhondda, *m.,* Rhondda, Morg.   22/9100
    Bodafon, *bryn,* Llanfihangel Tre'r-beirdd/   23/4684
     Penrhosllugwy, Môn.
    Bodrychwyn, *m.,* Llanfair Talhaearn,   23/9372
     Dinb.
    Brithweunydd, *m.,* Rhondda, Morg.   31/0092
    Bwlch-y-groes, *m.,* Traean-mawr/   22/8533
     Llandeilo'r-fân, Brych.
    Caerau, *m.,* Llangynwyd Uchaf/   21/8894
     Glyncorrwg, Morg.
    Caregog, *m.,* Trefdraeth/Llanychlwydog,   22/0436
     Penf.
    Carnguwch, *m.,* Pistyll, Caern.   23/3742
    Carn Ingli, *m.,* Trefdraeth, Penf.   22/0537
    Carn-y-cefn, *m.,* Glynebwy/Aberystruth,   32/1808
     Myn.
    Carreg, *bryn,* Aberdaron, Caern.   23/1629
    Cefnamwlch, *bryn,* Tudweiliog, Caern.   23/2233
    Cennin, *m.,* Dolbenmaen, Caern.   23/4545
    Cerrig, *m.,* Llanddarog, Caerf.   22/5013
    Cerrigllwydion, *m.,* Llanwyddelan, Tfn.   32/0298
    Cilan, *m.,* Llanengan, Caern.   23/2924
    Cilciffeth, *m.,* Llanychâr, Penf.   22/0032
    Cilgwyn, *m.,* Llandwrog, Caern.   23/4954
    Clogau, *m.,* Llanwyddelan, Tfn.   32/0399
    Coch, *m.,* Llanwddyn/Llangadfan/   23/9319
     Garthbeibio, Tfn.
Mynyddcynffig (Kenfig Hill), *p.,* Y Pîl, Morg.   21/8383
Mynydd Craig-goch, *m.,* Clynnog/Dolbenmaen,   23/4948
     Caern.
    Cricor, *m.,* Llanfair Dyffryn Clwyd, Dinb.   33/1450
    Crwn, *rhostir,* Maenclochog/Llandeilo   22/0929
     Penf.
    Du, Y, (Black Mountain), *m.,* Caerf.   22/6816
    Du (Black Mountains), *m.,* Brych./Myn.   32/2229
    Eglwyseg, *m.,* Llandegla/Llangollen, Dinb.   33/2246
    Eglwysilan, *m.,* Eglwysilan, Morg.   31/1092
    Epynt, *m.,* Brych.   22/9140
    Esgair, *m.,* Llanbryn-mair, Tfn.   22/8998
    Esgairneiriau, *m.,* Llanwrin, Tfn.   23/7809
    Farteg Fach, *m.,* Abersychan, Myn.   32/2506
       Fawr, *m.,* Abersychan, Myn.   32/2406
Mynyddfawr, *m.,* Llandwrog/Betws Garmon, Caern. 23/5354
Mynydd Fochriw, *m.,* Gelli-gaer, Morg.   32/0904
    Gartheiniog, *m.,* Mallwyd, Meir.   23/8013

Mynydd Garthmaelwg, *m.*, Llanharan, Morg.	31/0184
Gellionnen, *m.*, Rhyndwyglydach, Morg.	22/7004
Gelliwastad, *m.*, Llangyfelach, Morg.	22/6701
Gorllwyn, *m.*, Dolbenmaen, Caern.	23/5742
Hiraethog, *m.*, Dinb.	23/9155
Illtud, *m.*, Pen-pont, Brych.	22/9625
Mynyddislwyn, *pl.*, *ardal*, Myn.	31/1794
Mynydd Llandysilio, *m.*, Bryneglwys/Llandysilio, Dinb.	33/1345
Llangatwg, *m.*, Llangatwg, Brych.	32/1815
Llan-gors, *m.*, Llan-gors, Brych.	32/1526
Llangynidr, *m.*, Llangynidr, Brych.	32/1115
Llanhiledd, *m.*, Llanhiledd/Abersychan, Myn.	32/2302
Llanwenarth, *m.*, Llan-ffwyst, Myn.	32/2617
Llanybydder, *m.*, Llanfihangel Rhos-y-corn/Llanybydder, Caerf.	22/5339
Lledrod, *m.*, Llansilin, Dinb.	33/2130
Llwydiarth, *bryn*, Pentraeth, Môn.	23/5479
Llwytgoed, *m.*, Aberhafesb, Tfn.	32/0396
Llyn Coch-hwyad, *m.*, Cemais, Tfn.	23/9010
Llyndy, *m.*, Beddgelert, Caern.	23/6148
Llysiau, *m.*, Talgarth, Brych.	32/2028
Maendy, *m.*, Rhondda, Morg.	21/9494
m., Llanbedr-ar-fynydd, Morg.	21/9786
Maesyrychen, *m.*, Llandysilio/Llandegla, Dinb.	33/1945
Malláen, *m.*, Cil-y-cwm, Caerf.	22/7244
Marchywel, *m.*, Cilybebyll/Dulais Isaf, Morg.	22/7602
Mawr, *bryn*, Aberdaron, Caern.	23/1325
Mynyddmechell, *p.*, Llanfechell, Môn.	23/3589
Mynydd Meio, *m.*, Eglwysilan, Morg.	31/1188
Melyn, *m.*, Llanychlwydog, Penf.	22/0236
Moelgeila, *m.*, Betws, Morg.	21/8989
Morfil, *m.*, Morfil, Penf.	22/0331
Myddfai, *m.*, Myddfai, Caerf.	22/8029
Mynyllod, *m.*, Llandderfel/Llandrillo, Meir.	33/0039
Nefyn, *m.*, Nefyn, Caern.	23/3240
Nodol, *m.*, Llanycil, Meir.	23/8639
Parys (Mynydd Trysglwyn), *bryn.*, Amlwch, Môn.	23/4390
Pen-bre, *m.*, Pen-bre, Caerf.	22/4403
Pencarreg, *m.*, Pencarreg, Caerf.	22/5742
Pen-y-fâl (Sugar Loaf), *m.*, Llangenni, Brych./Llan-ffwyst Fawr, Myn.	32/2619

Mynydd Penypistyll, *m.*, Llanbryn-mair, Tfn.   22/8996
   Perfedd, *m.*, Llandygái, Caern.   23/6262
   Presely (Preselau), *m.*, Penf.   22/0832
   Pysgodlyn, *m.*, Mawr, Morg.   22/6304
   Rhiwabon, *m.*, Pen-y-cae, Dinb.   33/2446
   Rhiwsaeson, *m.*, Llanbryn-mair, Tfn.   23/9006
   Rhuthun (*nid* **M. yr Eithin**), *bryn, ardal,*   21/9679
    Eglwys Fair y Mynydd/Llanilid, Morg.
   Sylen, *m.*, Llanelli, Caerf.   22/5107
   Talyglannau, *m.*, Cemais, Tfn.   23/9011
   Talymignedd, *m.*, Llanllyfni, Caern.   23/5351
   Tarw, *m.*, Llanrhaeadr-ym-Mochnant/   33/1132
    Llanarmon Dyffryn Ceiriog, Dinb.
   Ton, *m.*, Rhondda, Morg.   21/9594
   Trawsnant, *m.*, Llanwrtyd, Brych.   22/8148
   Trenewydd, *m.*, Llanychâr/Morfil, Penf.   22/0232
   Tri Arglwydd, *m*, Meir./Tfn.   23/8109
   Troed, *m.*, Talgarth, Brych.   32/1629
   Tryfan, *m.*, Llansannan, Dinb.   23/9765
   Trysglwyn (Mynydd Parys), *bryn,*   23/4390
    Amlwch, Môn.
   Twr (Holyhead Mt.), *bryn,* Caergybi,   23/2183
    Môn.
   Tyle-coch, *m.*, Rhondda, Morg.   21/9396
   Waun-fawr, *m.*, Llanerfyl, Tfn.   33/0004
   y Betws, *m.*, Betws, Caerf.   22/6610
   y Bryn, *m.*, Llansilin, Dinb.   33/2126
   y Bwllfa, *m.*, Aberdâr, Morg.   22/9502
   y Drum, *m.*, Ystradgynlais, Brych.   22/8009
   y Farteg, *m.*, Cilybebyll/Dulais Uchaf,   22/7707
    Morg.
   y Ffaldau, *m.*, Aberdâr, Morg.   21/9898
   y Gaer, *m.*, Llangrallo Uchaf, Morg.   21/9585
   y Garth, *m.*, Pen-tyrch/Llanilltud   31/1083
    Faerdref, Morg.
   y Glew, *rhostir,* Llanddunwyd/Pendeu-   31/0376
    lwyn, Morg.
   y Gwair, *m.*, Llandyfodwg, Morg.   22/9489
       m., Mawr, Morg.   22/6407
   y Gyrt, *bryn,* Llanefydd, Dinb.   23/9669
   Ynyscorrwg, *m.*, Glyncorrwg, Morg.   21/8898
   yr Hendre, *m.*, Carno, Tfn.   23/9801
   y Rhiw, *m.*, Aberdaron, Caern.   23/2229
   Ystum, *bryn,* Aberdaron, Caern.   23/1828
Mynytho, *p.*, Llanengan, Caern.   23/3031
Mysefin, *plas,* Nantglyn, Dinb.   33/0062

N

Nancwnlle, *pl.*, *p.*, Cer.	22/5758
Nanhoron, *plas*, Botwnnog, Caern.	23/2831
Nanhyfer, gw. **Nyfer.**	
Nanmor, *ardal*, Beddgelert, Caern.	23/6046
a., Beddgelert, Caern.	23/6146
Nannau, *plas*, Llanfachreth, Meir.	23/7420
Nannerch, *pl.*, *p.*, Ffl.	33/1669
Nant* Aberbleiddyn, Llanycil, Meir.	23/8938
Aberderfel, Llanycil, Meir.	23/8538
Adwy'r-llan, Tir Ifan, Dinb.	23/8446
Aman Fach, Aberdâr, Morg.	22/9800
Arberth, Llangoedmor, Cer.	22/2246
Bachell, Abaty Cwm-hir/Llanbister, Maesd.	32/0871
Barrog, Llanfairtalhaearn, Dinb.	23/9268
Brân, Brych.	22/9533
Brwyn, Eidda, Caern.	23/7945
Brwynog, Caron-uwch-clawdd, Cer./Llan-wrthwl, Brych.	22/8164
Caeach, Gelli-gaer, Morg.	31/1196
Caedudwg, Morg.	31/0992
Carfan, Cemais/Llanbryn-mair, Tfn.	23/8907
Carn, Aber-carn/Henllys, Myn.	31/2493
Cerrig-y-gro, Garthbeibio, Tfn.	23/9314
Cledlyn, Llanwenog, Cer.	22/4943
Nantclwyd, *plas*, Llanelidan, Dinb.	33/1151
Nant Clydach, Is-clydach/Traean-mawr, Brych.	22/8831
Nantcol, *ff.*, *n.*, Llanbedr/Llanenddwyn, Meir.	23/6427
Nant Craig-y-frân, Llangadfan/Llanerfyl, Tfn.	23/9608
Creuddyn, Cer.	22/5551
Crychell, Llananno, Maesd.	32/0775
Crymlyn, Llangrallo/Pen-coed, Morg.	21/9483
Cwmtywyll, Llandrillo, Meir.	33/0433
Cwmpydew, Llandrillo, Meir.	33/0132
Cymrun, Llanwrthwl, Brych.	22/9661
Cynnen, Llannewydd, Caerf.	22/3522
Derbyniad, Tir Ifan, Dinb.	23/7741
Ddu, Llanuwchllyn, Meir.	23/7932
Nant-ddu, *p.*, Penderyn/Cantref, Brych.	32/0014
Nanteos, *plas*, Llanbadarn-y-Creuddyn Isaf, Cer.	22/6278
Nanternis, *p.*, Llandysiliogogo, Cer.	22/3756
Nant Felys, Abergwili, Caerf.	22/4224
Ffrancon, *d.*, Caern.	23/6363
Nantffreuer, *ardal*, Llandderfel, Meir.	23/9840

* Gweler hefyd yr enwau ar ôl **Afon.**
For other stream names, see under **Afon.**

Nant Ffridd-fawr, Brithdir ac Islaw'r-dref, Meir.	23/7716
Nantgaredig, *p.*, Llanegwad/Abergwili, Caerf.	22/4921
Nantgarw, *p.*, Eglwysilan, Morg.	31/1285
Nant Gewyn, Llanfihangel Abergwesyn, Brych.	22/8856
Nant-glas, *plas*, Llan-non, Caerf.	22/5612
Nantglyn, *pl.*, *p.*, *plas*, Dinb.	33/0061
Nant Goch, Llanfor, Meir.	23/8443
Gwennol, Llanfair-ar-y-bryn, Caerf./ Llandeilo'r-fân, Brych.	22/8335
Gwilym, Llanafan Fawr, Brych.	22/9557
Gwrtheyrn, Pistyll, Caern.	23/3445
Gwyn, Llanycil, Meir.	23/8041
Gwynant (Nanhwynan), *n.*, *d.*, Beddgelert, Caern.	23/6250
Gyhirych, Crai, Brych.	22/8820
Hafesb, Llanfor, Meir.	23/9337
Hesgog, Llansanffraid Cwmteuddwr, Maesd.	22/9168
Hir, Llanfor, Meir.	23/9730
Islyn, Trawsfynydd, Meir.	23/7137
Leidiog, Llanfor/Llandderfel, Meir.	23/9841
Nantleidiog, *ardal*, Llanfor, Meir.	23/9739
Nantlle, *p.*, *d.*, Llandwrog, Caern.	23/5053
Nant Magwr, *n.*, Llanfihangel-y-Creuddyn Isaf, Cer.	22/6774
Meichiad, Meifod, Tfn.	33/1316
Nantmeichiad, *ardal*, *plas*, Meifod, Tfn.	33/1316
Nantmel, *pl.*, *p.*, Maesd.	32/0366
Nant Melai, Llanfair Talhaearn, Dinb.	23/9066
Methan, Llansanffraid Cwmteuddwr, Maesd.	22/9065
Olwy (Olway), Myn.	32/4001
Paradwys, Llanwrthwl, Brych.	22/8960
Pasgen Bach, Llandecwyn, Meir.	23/6536
Pen-y-cnwc, Abergwili, Caerf.	22/4623
Peris, Llanberis, Caern.	23/6058
Nantperis, *p.*, Llanberis, Caern.	23/6058
Nant Pibwr, Llangynnwr, Caerf.	22/4218
Rhydwen, Llangywer, Meir.	23/9130
Rhydyfedw, Ceri, Tfn./Bugeildy, Maesd.	32/1585
Rhysfa, Llanwynno, Morg.	31/0397
Sarffle, Llanarmon Dyffryn Ceiriog, Dinb.	33/1432
Nantstalwyn, *ff.*, Llanddewi Abergwesyn, Brych.	22/8057
Nant Tawelan, Saint Harmon, Maesd.	22/9675
Nant Terfyn, Llansannan, Dinb.	23/9666
Trefil, Dukestown, Myn.	32/1113
Treflyn, Nantmel, Maesd.	32/0064
Trogi, Caer-went/Drenewydd Gelli-farch, Myn.	31/4594

Nant y Bachws, Trefeglwys, Tfn.	22/9489
y Betws, Betws Garmon, Caern.	23/5555
y Bugail, Llanstinan/Llanfair Nant-y-gof, Penf.	12/9732
Nant-y-bwch, *ardal*, Dukestown, Myn.	32/1210
Nant-y-caws, *p.*, Llangynnwr, Caerf.	22/4518
Nant y Coed, Llanfor, Meir.	23/8643
y Cyllyll, Llandrillo, Meir.	33/0735
Nant-y-deri, *ardal*, Goetre Fawr, Myn.	32/3305
Nant y Ffrith, Llanfynydd, Ffl.	33/2654
Nantyffyllon, *p.*, Llangynwyd Uchaf, Morg.	21/8592
Nant-y-glo, *p.*, Aberystruth, Myn.	32/1910
Nant y Graean, Trawsfynydd, Meir.	23/7330
y Gro, Llanwrthwl, Brych.	22/9262
y Groes, Ffestiniog/Maentwrog, Meir.	23/7541
Nant-y-groes, *hyn.*, Whitton, Maesd.	23/2667
Nant y Gylchedd, Tir Ifan, Dinb.	23/8646
y Moch, Melindwr, Cer.	22/7786
Nant-y-moch, *cp.,ff.*, Melindwr, Cer.	22/7687
Nant-y-moel, *p.*, Llandyfodwg/Llangeinwyr, Morg.	21/9392
Nant y Pandy, Corwen, Meir.	33/1441
Nantyr, *plas*, Llansanffraid Glyn Ceiriog, Dinb.	33/1537
Nantyrarian, *ff.*, Melindwr, Cer.	22/7181
Nant yr Eira, Llanerfyl, Tfn.	23/9605
yr Hafod, Llanuwchllyn, Meir.	23/8924
yr Hengwm, Llangwm, Dinb.	23/9343
Nantyrhynnau, *ff.*, Ceri, Tfn.	32/1685
Nant y Sarn, Llanfor, Meir.	23/9731
y Stabl, Abaty Cwm-hir, Maesd.	32/0376
Ystradau, Ffestiniog, Meir.	23/6844
y Waun, Llandrillo, Meir.	33/0332
Narberth, gw. **Arberth.**	
Nasareth, *p.*, Clynnog, Caern.	23/4750
Nash, Morg., gw. **As Fach, Yr.**	
Myn., gw. **Trefonnen.**	
Neath, gw. **Castell-nedd.**	
Neath Abbey, gw. **Mynachlog Nedd.**	
Nebo, *p.*, Llanllyfni, Caern.	23/4750
p., Llanrwst, Dinb.	23/8356
Nedd Isaf, *pl.*, Morg.	22/8002
Uchaf, *pl.*, Morg.	22/8306
Nefyn (Nevin), *pl., p.*, Caern.	23/3040
Nercwys (Nerquis), *pl., p.*, Ffl.	33/2361
Neuadd-lwyd, *ardal*, *cp.*, Henfynyw, Cer.	22/4759
Nevern, gw. **Nyfer.**	
Nevin, gw. **Nefyn.**	
Newborough, gw. **Niwbwrch.**	

Newcastle (Bridgend), gw. **Castellnewydd, Y.**
Newcastle Emlyn, gw. **Castellnewydd Emlyn.**
New Chapel, gw. **Capel Newydd.**
Newchurch, *pl.*, Caerf., gw. **Llannewydd.**
    pl., Maesd., gw. **Eglwys Newydd, Yr.**
    Myn., gw. **Eglwys Newydd ar y Cefn, Yr.**
Newgale, gw. **Niwgwl.**
Newmarket, Ffl., gw. **Trelawnyd.**
New Moat, gw. **Mot, Y.**
Newport (Pem.), gw. **Trefdraeth.**
    (Mon.), gw. **Casnewydd-ar-Wysg.**
New Quay, gw. **Ceinewydd.**
New Radnor, gw. **Maesyfed.**
Newton Nottage, gw. **Drenewydd yn Notais.**
Newtown, gw. **Drenewydd, Y.**
Newydd Fynyddog, *m.*, Llanbryn-mair, Tfn.   23/9000
Niwbwrch (Newborough), *pl.*, *p.*, Môn.   23/4265
Niwgwl (Newgale), *p.*, Breudeth, Penf.   12/8422
Northop, gw. **Llaneurgain.**
Nyfer (Nevern), *pl.*, *p.*, Penf.   22/0840

O

Oakford, gw. **Derwen-gam.**
Oernant, *n.*, Penmachno, Caern.   23/7948
Oernant, Yr, (Horseshoe Pass), *bw.*,   33/1846
 Llandysilio-yn-Iâl, Dinb.
Ogmore R., gw. **Afon Ogwr.**
Ogmore-by-sea, gw. **Aberogwr.**
Ogofau, gw. **Gogofau.**
Ogof Diban, *cil.*, Ynys Enlli, Caern.   23/1120
Oldcastle, gw. **Hengastell, Yr.**
Old Radnor, gw. **Pencraig.**
Ole Wen, Yr, *llechwedd*, Capel Curig, Caern.   23/6561
Olmarch, *ardal*, Betws Leucu, Cer.   22/6254
Olway, gw. **Nant Olwy.**
Onllwyn, *p.*, Dulais Uchaf, Morg.   22/8410
   m., Penderyn, Brych.   22/9908
Orllwyn Teifi, *pl.*, Cer.   22/3741
Orsedd, Yr, (Rossett), *p.*, Trefalun, Dinb.   33/3657
Owrtyn (Overton), *pl.*, *p.*, Ffl.   33/3741
Oystermouth, gw. **Ystumllwynarth.**

P

Painscastle, gw. **Llanbedr Castell-paen.**
Pale, *plas*, Llandderfel, Meir.   23/9836

Pandy, *p.*, Crucornau Fawr, Myn.	32/3322
p., Towyn, Meir.	23/6203
ardal, Llanbryn-mair, Tfn.	23/9004
ardal, Llansanffraid Glyn Ceiriog, Dinb.	33/1936
ardal, Llanuwchllyn, Meir.	23/8729
Pandy'r Capel, *p.*, Gwyddelwern, Meir.	33/0850
Pandytudur, *p.*, Llangernyw, Dinb.	23/8564
Pantasa, *p.*, Chwitffordd, Ffl.	33/1675
Pant-dwfn, *ff.*, Sanclêr, Caerf.	22/2815
Pant-glas, *p.*, Clynnog, Caern.	23/4747
ff., Tryleg, Myn.	32/4804
Pant-gwyn, *ardal*, Llangoedmor, Cer.	22/2446
Pant-mawr, *ardal*, Llangurig, Tfn.	22/8482
Pantperthog, *ardal*, Pennal, Meir.	23/7404
m., Pennal, Meir.	23/7306
Pantsaeson, *plas*, Eglwys Wythwr, Penf.	22/1344
Pant-teg, *pl.*, Myn.	31/2898
Pant-teg, *cp.*, Llan-giwg, Morg.	22/7608
Pantycelyn, *ff.*, Llanfair-ar-y-bryn, Caerf.	22/8235
Pantycendy, *ardal*, Aber-nant, Caerf.	22/3423
Pantyderi, *plas*, Llanfair Nant-gwyn, Penf.	22/1637
Pant-y-dŵr, *p.*, Saint Harmon, Maesd.	22/9874
Pant-y-fid, *ff.*, Bedwellte, Myn.	32/1601
Pant-y-ffordd, *ardal*, Dulais Uchaf, Morg.	22/8209
Pantyffynnon, *st.*, Rhydaman, Caerf.	22/6210
Pant-y-gog, *ardal*, Llangeinwyr, Morg.	21/9090
Pantygraig-wen, *ardal*, Pontypridd, Morg.	31/0690
Pantylliwydd, *ff.*, Llansanwyr, Morg.	21/9779
Pant-y-mwyn, *p.*, Yr Wyddgrug, Ffl.	33/1964
Pantysgallog, *ardal*, Merthyr Tudful, Morg.	32/0608
Panylau Gwynion, *m.*, Llanbryn-mair, Tfn.	23/9306
Parc, *ardal*, Llanycil, Meir.	23/8733
Parcel Canol, gw. **Parsel Canol.**	
Parcletis, *plas*, Llanofer Fawr, Myn.	32/3210
Parc y Meirch, *hyn.*, Abergele, Dinb.	23/9675
Parc y Meirw, *hyn.*, Llanllawern, Penf.	12/9935
Parc-y-rhos, *ardal*, Pencarreg, Caerf.	22/5746
Parlwr Du, Y, *pen.*, Llanasa, Ffl.	33/1285
Parrog, *p.*, Trefdraeth, Penf.	22/0439
Parsel Canol, *pl.*, Cer.	22/6381
Parwyd, *cil.*, Aberdaron, Caern.	23/1524
Patrisio (Partrishw, Pertrisw, Partrishow), *pl.*, *eg.*, Brych.	32/2722
Pedair-ffordd, *p.*, Llanrhaeadr-ym-Mochnant, Tfn.	33/1124
Pedair-hewl, *p.*, Llangyndeyrn, Caerf.	22/4409
Pelcam (Pelcomb), *ardal*, Camros, Penf.	12/9118
Pembrey, gw. **Pen-bre.**	

Pen-allt, *p.*, Tryleg, Myn.	32/5210
Penalltau, *ff.*, Gelli-gaer, Morg.	31/1395
Penally (Penalun), *pl.*, *p.*, Penf.	21/1199
Penantlliw, *ardal*, Llanuwchllyn, Meir.	23/8132
Penaran, *ardal*, Llanuwchllyn, Meir.	23/8326
Penarfynydd, *ff.*, Llannor, Caern.	23/4038
Penarlâg (Hawarden), *pl.*, *t.*, Ffl.	33/3165
Penarth, *pl.*, *t.*, *pen.*, Morg.	31/1871
Penbedw, *plas*, Nannerch, Ffl.	33/1668
Penbiri (Pen Berry), *bryn*, Tyddewi, Penf.	12/7629
Pen-bont Rhydybeddau, *p.*, Trefeurig, Cer.	22/6783
Pen-boyr, *eg.*, Llangeler, Caerf.	22/3636
Pen-bre (Pembrey), *pl.*, *t.*, Caerf.	22/4201
Penbryn, *pl.*, *p.*, Cer.	22/2951
Penbuallt, *pl.*, Brych.	22/9244
Penbwchdy, *pen.*, Llanwnda, Penf.	12/8737
Pencader, *p.*, Llanfihangel-ar-arth, Caerf.	22/4436
Pencaenewydd, *p.*, Llanystumdwy, Caern.	23/4041
Pen-caer, *ardal*, *pen.*, Llanwnda, Penf.	12/9040–1
Pencaerau, *ardal*, Aberdaron, Caern.	23/2027
Pencarnisiog, gw. **Penconisiog.**	
Pencarreg, *pl.*, *p.*, *ll.*, Caerf.	22/5345
Pencarreg-dân, *m.*, Llanfihangel Abergwesyn, Brych.	22/8654
Pencelli (Pengelli), *p.*, Llanfeugan, Brych.	32/0925
Pen Cerrig Calch, *m.*, Crucywel, Brych.	32/2122
Pen-clawdd, *p.*, Llanrhidian Uchaf, Morg.	21/5495
ardal, Rhaglan, Myn.	32/4507
Pen-coed, *pl.*, *p.*, Morg.	21/9681
plas, Llanfarthin, Myn.	31/4089
Penconisiog, *p.*, Llanfaelog, Môn.	23/3573
Pencraig (Old Radnor), *pl.*, *ca.*, Maesd.	32/2459
Pen Das Eithin, gw. **Pen Tas Eithin.**	
Penderyn, *pl.*, *p.*, Brych.	22/9408
Pendeulwyn (Pendoylan), *pl.*, *p.*, Morg.	31/0676
Pendinas, *bryn*, *hyn.*, Aberystwyth, Cer.	22/5880
Pen Dinas Lochdyn, *hyn.*, Llangrannog, Cer.	22/3154
Pendine (Pentywyn), *pl.*, *p.*, Caerf.	22/2308
Pendoylan, gw. **Pendeulwyn.**	
Pendyrys, *pwll glo*, Rhondda, Morg.	31/0195
Penegoes, *pl.*, *p.*, Tfn.	23/7700
Penfro, *sir*, *bd.*,	12/9801
Pen-ffordd, *p.*, Trefelen, Penf.	22/0722
Penffordd-las (Staylittle), *p.*, Trefeglwys, Tfn.	22/8892
Penffridd-sarn, *m.*, Tir Ifan, Dinb.	23/8346
Pengam, *p.*, Bedwellte, Myn.	31/1597
Pengelli(-ddrain) (Grovesend), *p.*, Llandeilo Tal-y-bont,Morg.	22/5900

Pen-glais, *bryn*, *plas*, Aberystwyth, Cer.	22/5982
Pengogarth, gw. **Penygogarth.**	
Pengorffwysfa, *p.*, Llaneilian, Môn.	23/4692
Pengwern, *plas*, Bodelwyddan/Rhuddlan, Ffl.	33/0176
plas, Ffestiniog, Meir.	23/6943
ff., Llanwnda, Caern.	23/4558
Penhelyg, *p.*, Towyn, Meir.	22/6296
Pen-hw (Pen-how), *pl.*, *eg.*, *ca.*, Myn.	31/4290
Pen-hydd, *ff.*, Port Talbot, Morg.	21/8092–3
Peniarth, *plas*, Llanegryn, Meir.	23/6105
Peniel, *p.*, Llanrhaeadr-yng-Nghinmeirch, Dinb.	33/0263
Penisa'r-waun, *p.*, Llanddeiniolen, Caern.	23/5563
Penley, gw. **Llannerch Banna.**	
Penllech, *ardal*, Tudweiliog, Caern.	23/2234
Penlle'rcastell, *bryn*, *hyn.*, Rhyndwyglydach, Morg.	22/6609
Penlle'rfedwen, *rhostir*, Llan-giwg, Morg.	22/7211
Penlle'r-gaer, *p.*, Llangyfelach, Morg.	21/6198
Pen-llin, *pl.*, *p.*, Morg.	21/9776
Penllithrig-y-wrach, *m.*, Dolgarrog, Caern.	23/7162
Penllwyn-fawr, *hyn.*, Mynyddislwyn, Myn.	31/1795
Penllwyn-gwent, *ff.*, Llandyfodwg, Morg.	21/9488
Penllyn, *ardal*, Y Bala, Meir.	23/9235
Pen Llŷn, *ardal*, Aberdaron, Caern.	
Penmachno, *pl.*, *p.*, Caern.	23/7950
Pen-maen, *pl.*, *p.*, Morg.	21/5388
p., Mynyddislwyn, Myn.	31/1897
Penmaenan, *p.*, Dwygyfylchi, Caern.	23/7075
Penmaendewi (St. David's Head), *pen.*, Tyddewi, Penf.	12/7227
Penmaen-mawr, *p.*, Dwygyfylchi, Caern.	23/7176
Penmaen-pŵl (Llynpenmaen), *p.*, Brithdir ac Islaw'r-dref, Meir.	23/6918
Penmaen-rhos, *p.*, Llandrillo-yn-Rhos, Dinb.	23/8778
Pen-marc, *pl.*, *p.*, *ca.*, Morg.	31/0568
Penmon, *pen.*, Llangoed, Môn.	23/6380
Penmorfa, *p.*, Dolbenmaen, Caern.	23/5440
pen., Mathri, Penf.	12/8634
Penmynydd, *pl.*, *p.*, *ff.*, Môn.	23/5074
Pennal, *pl.*, *p.*, Meir.	23/7000
Pennant, *pl.*, Tfn.	33/0924
ardal, Bugeildy, Maesd.	32/2177
ardal, Eglwys-bach, Dinb.	23/8167
p., Llanbadarn Trefeglwys, Cer.	22/5163
ardal, Llanymawddwy, Meir.	23/8920
Pennant, *c.*, Dolbenmaen, Caern.	23/5247
(Bacho), *ardal*, Llanbryn-mair, Tfn.	22/8897
plas, Aberriw, Tfn.	32/1697

Pennant Melangell, *ardal, eg.,* Llangynog, Tfn.　　33/0226
Pennard, *pl., p.,* Morg.　　21/5688
Pennarth-bach, -fawr, *ff.,* Llanystumdwy, Caern.　23/4238-7
　　-uchaf, *ff.,* Llanystumdwy, Caern.　　23/4039
Pennon, *p., ff.,* Llancarfan, Morg.　　31/0569
Penparcau, *p.,* Aberystwyth, Cer.　　22/5980
Penpergwm, *ardal,* Llanofer Fawr, Myn.　　32/3210
Pen-pont, *pl., p.,* Brych.　　22/9728
Pen-pych, *m.,* Rhondda, Morg.　　21/9299
Pen Pyrod (Worm's Head), *pen.,* Rhosili, Morg.　21/3887
Pen-rhiw, *p.,* Maenordeifi, Penf.　　22/2440
Penrhiw-ceibr, *p.,* Llanwynno, Morg.　　31/0597
Penrhiw-fawr, *p.,* Llan-giwg, Morg.　　22/7410
Penrhiw-fer, *p.,* Llantrisant, Morg.　　31/0089
Penrhiw-goch, *ardal,* Llanarthne, Caerf.　　22/5517
Penrhiw-llan, *p.,* Orllwyn Teifi, Cer.　　22/3741
Penrhiw-llech, *ardal,* Aberdâr, Morg.　　22/9702
Penrhiw-pâl, *p.,* Troed-yr-aur, Cer.　　22/3445
Penrhiwtyn, *p.,* Castell-nedd, Morg.　　21/7495
Penrhos, *p.,* Llannor, Caern.　　23/3433
Pen-rhos, *p.,* Llandeilo, Myn.　　32/4111
　　　　p., Ystradgynlais Isaf, Brych.　　22/8011
　　　　ardal, eg., Llandrinio, Tfn.　　33/2316
Penrhosgarnedd, *p.,* Pentir, Caern.　　23/5570
Penrhosllugwy, *pl., ardal,* Môn.　　23/4786
Penrhydd, *pl.,* Penf.　　22/1934
Penrhyn Bodeilias, *pen.,* Pistyll, Caern.　　23/3142
Penrhyn-coch, *p.,* Trefeurig, Cer.　　22/6482
Penrhyndeudraeth, *pl., p., pen.,* Meir.　　23/6139
Pen-rhys, *ardal,* Rhondda, Morg.　　31/0094
Pen-rhys (Penrice), *pl., p., ca.,* Morg.　　21/4987
Pen-sarn, *p.,* Abergele, Dinb.　　23/9478
　　　　p., Llaneilian, Môn.　　23/4590
Pensgynor, *ardal,* Blaenhonddan, Morg.　　21/7699
Penstrowed, gw. **Penystrywaid.**
Pen Tas Eithin, *m.,* Pencarreg, Caerf.　　22/5743
Penteri (Pen-tyrch) (Penterry), *ff,* Tyndyrn, Myn.　31/5299
Pentir, *pl., p.,* Caern.　　23/5767
Pentraeth, *pl., p.,* Môn.　　23/5278
Pentre-bach, *ardal,* Is-clydach, Brych.　　22/9032
　　　　p., Fflint, Ffl.　　33/2176
　　　　p., Llanbedr Pont Steffan, Cer.　　22/5547
　　　　p., Llandeilo Tal-y-bont, Morg.　　22/6005
　　　　p., Merthyr Tudful, Morg.　　32/0604
　　　　p., Myddfai, Caerf.　　22/8233
　　　　p., Pontypridd, Morg.　　31/0889
Pentre-baen, *ff.,* Sain Ffagan, Morg.　　31/1278

Pentreberw, *p.*, Llanfihangel Ysgeifiog, Môn.   23/4772
Pentre-bont (Llanfarian), *p.*, Llanbadarn-y-   22/5977
   Creuddyn Isaf, Cer.
Pentrecagal, *p.*, Llangeler, Caerf.   22/3340
Pentrecelyn, *p.*, Llanfair Dyffryn Clwyd, Dinb.   33/1553
Pentrecilgwyn, *p.*, Glyntraean, Dinb.   33/2236
Pentreclwyda, *ardal*, Nedd Uchaf, Morg.   22/8405
Pentre-cwrt, *p.*, Llangeler, Caerf.   22/3838
Pentre-chwyth, *p.*, Abertawe, Morg.   21/6695
Pentre Dolau Honddu, *ff.*, Merthyr Cynog, Brych.   22/9943
Pentre Drefelin, gw. **Drefelin.**
Pentre-du, *p.*, Betws-y-coed, Caern.   23/7856
Pentre-dŵr, *p.*, Abertawe, Morg.   21/6996
   p., Llandysilio-yn-Iâl, Dinb.   33/1946
Pentre-elan (Elan Village), *p.*, Llansanffraid   22/9365
   Cwmteuddwr, Maesd./Llanwrthwl, Brych.
Pentrefelin, *p.*, Amlwch, Môn.   23/4392
Pentrefoelas, *pl.*, *p.*, Dinb.   23/8751
Pentregalar, *p.*, Llanfyrnach, Penf.   22/1831
Pentregât (Capel Ffynnon), *p.*, Llangrannog, Cer.   22/3551
Pentregwenlais, *p.*, Llandybïe, Caerf.   22/6016
Pentre Helygain (Halkyn), *p.*, Helygain, Ffl.   33/2072
Pentre Ifan, *hyn.*, Nyfer, Penf.   22/0936
Pentre-eiriannell, *ardal*, Penrhosllugwy, Môn.   23/4787
Pentrellifior, *p.*, Aberriw, Tfn.   32/1497
Pentre Llwyn-llwyd, *p.*, Llanafan Fawr, Brych.   22/9654
Pentre-llyn, *ardal*, Llanilar, Cer.   22/6175
Pentrellyncymer, *ardal*, Cerrigydrudion, Dinb.   23/9752
Pentremeurig, *p.*, Pen-llin, Morg.   21/9675
Pentrepiod, *p.*, Abersychan, Myn.   32/2602
Pentre-poeth, *p.*, Abertawe, Morg.   21/6698
   ardal, Llandyfaelog, Caerf.   22/4216
Pentre-poeth (Treforgan) (Morganstown),   31/1281
   p., Radur, Morg.
Pentre'r-beirdd, *ardal*, Cegidfa, Tfn.   33/1914
Pentre'r-felin, *p.*, Amlwch, Môn.   23/4392
   p., Dolbenmaen, Caern.   23/5239
   ardal, Eglwys-bach, Dinb.   23/8069
   p., Llandysilio-yn-Iâl, Dinb.   33/2043
   p., Llanrhaeadr-ym-Mochnant,   33/1524
   Dinb.
Pentre-rhew, *p.*, Llanddewibrefi, Cer.   22/6654
Pentresaeson, *p.*, Brymbo, Dinb.   33/2753
Pentre Saron (Capel Saron), *p.*, Llanrhaeadr-yng-   33/0260
   Nghinmeirch, Dinb.
Pentre Tafarnyfedw, *p.*, Llanrwst, Dinb.   23/8162
Pentre-tŷ-gwyn, *ardal*, Llanfair-ar-y-bryn, Caerf.   22/8135

Pentre-uchaf, *p.*, Llannor, Caern.	23/3539
Pen-twyn, *p.*, Aber-carn, Myn.	32/2000
ardal, Abersychan, Myn.	32/2603
p., Gelli-gaer, Morg.	32/1004
Pentwyn-mawr, *p.*, Aber-carn, Myn.	31/1996
bryn, Mawr, Morg.	22/6408
Pen-tyrch, *pl.*, *p.*, Morg.	31/1081
(**Penterry**), Myn. gw. **Penteri.**	
Pentyrch, *ardal*, Llanfair Caereinion, Tfn.	33/0608
Pentywyn (**Pendine**), *pl.*, *p.*, Caerf.	22/2308
Pen-uwch, *ardal*, Nancwnlle/Llangeitho, Cer.	22/5962
Pen-wyllt (**Penŵyll**), *bryn*, *ardal*, *st.*, Ystradgynlais	22/8515
Uchaf, Brych.	
Pen-y-bâl, *pen.*, Nyfer, Penf.	22/0441
Pen-y-banc, *p.*, Llandeilo Fawr, Caerf.	22/6123
Pen y Banc, *m.*, Llanidloes, Tfn.	22/8887
Pen y Bannau, *bryn*, Gwnnws Uchaf, Cer.	22/7466
Pen y Bedw, *m.*, Penmachno, Caern.	23/7747
Penybenglog, *hyn.*, *ff.*, Meline, Penf.	22/1138
Penyboncyn Trefeilw, *m.*, Llanfor, Meir.	23/9628
Pen-y-bont, *p.*, Llandegley, Maesd.	32/1164
p., Llanfynydd, Ffl.	33/2453
Pen-y-bont ar Ogwr (**Bridgend**), *pl.*, *t.*, Morg.	21/9079
Pen-y-bont-fawr, *p.*, Pennant, Tfn.	33/0824
Penybylchau, *m.*, Llanfihangel-yng-Ngwynfa/	33/0519
Llanrhaeadr-ym-Mochnant/Llanfyllin, Tfn.	
Pen-y-cae, *pl.*, *p.*, Dinb.	33/2745
Myn., gw. **Glynebwy.**	
p., Ystradgynlais Uchaf, Brych.	22/8413
Penycaerau, *ardal*, Aberdaron, Caern.	23/2027
Penycastell, *hyn.*, Llanidloes, Tfn.	22/9888
Penycloddiau, *hyn.*, Dinb./Ffl.	33/1267
Pen-y-cnap, *hyn.*, Llanegwad, Caerf.	22/5121
Pen-y-coed, *m.*, Llangadfan, Tfn.	23/9808
Penycorddyn-mawr, *hyn.*, Abergele, Dinb.	23/9176
Pen-y-crug, *hyn.*, Y Fenni-fach, Brych.	32/0230
Pen-y-cwm, *p.*, Breudeth, Penf.	12/8423
Penychen (**Penychain**), *pen.*, *ff.*, Llannor, Caern.	23/4335
Penydarren, *ardal*, Merthyr Tudful, Morg.	32/0507
Pen y Dinas, *hyn.*, Llanaber, Meir.	23/6020
Pen-y-fai, *ardal*, Castellnewydd Uchaf, Morg.	21/8982
ardal, Llanelli, Caerf.	22/4901
Pen y Fan, *m.*, Modrydd, Brych.	32/0121
Penyfynwent, *hyn.*, Rhos-y-bol, Môn.	23/4388
Pen-y-ffordd, *p.*, Yr Hob, Ffl.	33/3061
Pen-y-ffridd Cownwy, *m.*, Llangadfan, Tfn.	23/9717
Pen y Gadair, *m.*, Tal-y-llyn, Meir.	23/7113

Pen y Gadair Fawr, *m.*, Llanbedr Ystrad Yw,   32/2228
Brych.
Pen-y-gaer, *hyn.*, Llanaelhaearn, Caern.   23/4245
     hyn., Llanbadarn Odwyn, Cer.   22/6360
     hyn., Llanbedrycennin, Caern.   23/7569
Pen-y-garn, *ardal*, Merthyr Tudful, Morg.   32/0708
     ardal, Llanfynydd, Caerf.   22/5731
     p., Tirymynach, Cer.   22/6285
Penygarnedd, *p.*, Pennant/Llanrhaeadr-ym-   33/1023
Mochnant, Tfn.
Penygarreg, *cronfa ddŵr*, Llansanffraid   22/9067
Cwmteuddwr, Maesd.
Penygogarth, *clog.*, Llandudno, Caern.   23/7584
Pen-y-gop, *m.*, Llangwm, Dinb.   23/9444
Penygorddyn, *hyn.*, Llanfihangel-yng-Ngwynfa, Tfn. 33/0814
Pen-y-graig, *p.*, Rhondda, Morg.   21/9991
Pen-y-groes, *p.*, Llandybïe, Caerf.   22/5813
     p., Llanllyfni, Caern.   23/4653
     ardal, Pontypridd, Morg.   31/1187
Penygwryd, *bw.*, Beddgelert, Caern.   23/6555
Pen-y-lan, *ardal*, Caerdydd, Morg.   31/1978
Pen y Mwdwl, *m.*, Llanfairtalhaearn/Llansannan,   23/9266
Dinb.
Penymynydd, *p.*, Yr Hob, Ffl.   33/3062
Penyrenglyn, *ardal*, Rhondda, Morg.   21/9497
Penyrheol, *p.*, Eglwysilan, Morg.   31/1488
     p., Pant-teg, Myn.   31/2898
     p., Llandeilo Tal-y-bont, Morg.   21/5899
     ardal, Llangathen, Caerf.   22/5824
     ardal, Abertawe, Morg.   12/6192
Penyrheolgerrig, *p.*, Merthyr Tudful, Morg.   32/0306
Penyrherber, *p.*, Cenarth, Caerf.   22/2939
Pen yr Ole Wen, *m.*, Llanllechid/Capel Curig,   23/6561
Caern.
Pen yr Orsedd, *m.*, Pentrefoelas, Dinb.   23/8955
Pen-y-sarn, *p.*, Llaneilian, Môn.   23/4590
Penystrywaid (Penystrowed, Penstruet),   32/0691
pl., Tfn.
Pen-y-waun, *p.*, Aberdâr, Morg.   22/9704
Pen-y-wern, *plas*, Llanfihangel-y-Creuddyn Isaf, Cer. 22/6376
Perthillwydion, *ff.*, Cerrigydrudion, Dinb.   23/9450
Pertholau, *eg.*, *hyn* , Llantrisaint Fawr, Myn   31/3994
Peterstone Wentlloog, gw. **Llanbedr Gwynllŵg.**
Peterston-super-Ely, gw. **Llanbedr-y-fro.**
Peterston-super-montem, gw. **Llanbedr-ar-fynydd.**
Peterwell, gw. **Ffynnon Bedr.**
Pibwr-lwyd, *ff.*, Llangynnwr, Caerf.   22/4118

Picton's Castle, gw. **Castell Pictwn.**
Pigyn Esgob, *m.*, Penmachno, Caern. 23/7651
Pîl, Y, (Pyle), *pl.*, *p.*, Morg. 21/8282
Pilleth, gw. **Pyllalai.**
Pinged, *ardal*, Pen-bre, Caerf. 22/4203
Pistyll, *pl.*, *p.*, Caern. 23/3242
Pistyll Rhaeadr, *rhaeadr*, Llanrhaeadr-ym- 33/0729
Mochnant, Dinb./Tfn.
Plas Berw, *hyn.*, Llanfihangel Ysgeifiog, Môn. 23/4671
Plas Brondanw, *plas*, Llanfrothen, Meir. 23/6142
Plas-coch, *plas*, Llanddaniel-fab, Môn. 23/5168
Plasdinam, *plas*, Llandinam, Tfn. 32/0289
Plas-gwyn, *plas*, Pentraeth, Môn. 23/5278
Plas Iolyn, *hyn.*, *ff.*, Pentrefoelas, Dinb. 23/8850
Plasllysyn, *plas*, Carno, Tfn. 22/9597
Plas-marl, *p.*, Abertawe, Morg. 21/6696
Plasnewydd, *plas*, Llanddaniel-fab, Môn. 23/5269
 plas, Llangollen, Dinb. 33/2241
 plas, Llanwnnog, Tfn. 22/9796
Plas Penmynydd, *hyn.*, Penmynydd, Môn. 23/4975
Plas yn Dinas, *hyn.*, Llansanffraid Deuddwr, Tfn. 33/2118
Plas-y-ward, *ff.*, Llanynys, Dinb. 33/1160
Plwmp (Maesycrugiau), *p.*, Llandysiliogogo, Cer. 22/3652
Plynlimon, gw. **Pumlumon.**
Point of Ayr, gw. **Parlwr Du, Y.**
Ponciau, *ardal*, Rhosllannerchrugog, Dinb. 33/2946
Pontaman, *p.*, Rhydaman, Caerf. 22/6312
Pontantwn, *p.*, Llangyndeyrn, Caerf. 22/4413
Pontardawe, *t.*, Llan-giwg/Rhyndwyglydach, 22/7204
Morg.
Pontarddulais, *t.*, Llandeilo Tal-y-bont, Morg. 22/5803
Pontarddyfi, *pont*, Machynlleth, Tfn./Pennal, 23/7401
Meir.
Pontarfynach (Devil's Bridge), *p.*, Llanfihangel- 22/7376
y-Creuddyn Uchaf, Cer.
Pontargothi, *p.*, Llanegwad, Caerf. 22/5021
Pontarllechau, *ardal*, Llangadog, Caerf. 22/7224
Pont-ar-sais, *p.*, Llanllawddog, Caerf. 22/4428
Pontblyddyn, *p.*, Yr Wyddgrug, Ffl. 33/2760
Pontcanna, *ardal*, Caerdydd, Morg. 31/1677
Pontcysylltau (Pontcysyllte), *p.*, Llangollen, 33/2742
Dinb.
Pont-dôl-goch, *p.*, Llanwnnog, Tfn. 32/0193
Pontebwy, *p.*, Dyffryn, Myn. 31/2985
Ponterwyd, *p.*, Cwmrheidol, Cer. 22/7480
Pontfadog, *p.*, Glyntraean, Dinb. 33/2338
Pont-faen, gw. **Bont-faen, Y.**

Pontgarreg, *p.*, Llangrannog, Cer.	22/3354
Pont Gyhirych, *pont*, Crai, Brych.	22/8821
Pont-henri, *p.*, Llangyndeyrn, Caerf.	22/4609
Pont-hir, *p.*, Llanfrechfa Isaf, Myn.	31/3292
Pont-hirwaun, *p.*, Llandygwydd, Cer.	22/2645
Pont-iets, *p.*, Llanelli/Llangyndeyrn, Caerf.	22/4708
Pontithel, *p.*, Aberllynfi, Brych.	32/1636
Pontlase, *ardal*, Abertawe, Morg.	22/6500
Pontlotyn, *p.*, Gelli-gaer, Morg.	32/1105
Pontlyfni, *p.*, Clynnog, Caern.	23/4352
Pontllan-fraith, *p.*, Mynyddislwyn, Myn.	31/1895
Pontllanio, *ardal*, Llanddewibrefi, Cer.	22/6557
Pontllanio, *p.*, Cer., gw. **Blaen-plwyf.**	
Pont-lliw, *p.*, Llandeilo Tal-y-bont, Morg.	22/6101
Pontllogail (**Pont Llogel**), *p.*, Llanfihangel-yng-Ngwynfa, Tfn.	33/0315
Pontneddfechan (**Pontneathvaughan**), *p.*, Nedd Uchaf, Morg.	22/9007
Pontnewydd, *p.*, Llanfrechfa, Myn.	31/2996
Pontnewynydd, *p.*, Abersychan, Myn.	32/2701
Pontrobert, *p.*, Llangynyw/Meifod, Tfn.	33/1012
Pont-rug, *p.*, Llanrug, Caern.	23/5163
Pontrhydfendigaid, *p.*, Caron-uwch-clawdd/Gwnnws Uchaf, Cer.	22/7366
Pont-rhyd-y-cyff, *p.*, Llangynwyd, Morg.	21/8688
Pont-rhyd-y-fen, *p.*, Baglan Uchaf/Llanfihangel, Morg.	21/7994
Pont-rhyd-y-groes, *p.*, Ysbyty Ystwyth, Cer.	22/7372
Pont-rhyd-yr-ynn, *p.*, Llanfrechfa Uchaf, Myn.	31/2997
Pontrhypont, *ardal*, Rhoscolyn, Môn.	23/2778
Pontrhythallt, *p.*, Llanrug, Caern.	23/5463
Pont-sarn, *p.*, Y Faenor, Brych.	32/0409
Pontsenni (**Senny Bridge**), *p.*, Maes-car, Brych.	22/9228
Pont Sgethin, *pont*, Llanddwywe-is-y-graig, Meir.	23/6323
Pont-siân, *p.*, Llandysul, Cer.	22/4346
Pont Siôn Norton, *p.*, Pontypridd, Morg.	31/0891
Pontsticill, *p.*, Llanddeti/Y Faenor, Brych.	32/0511
Pont-tyweli, *p.*, Llanfihangel-ar-arth, Caerf.	22/4140
Pontwalby, *p.*, Y Rhigos, Morg.	22/8906
Pontyberem, *pl.*, *p.*, Caerf.	22/5011
Pontybotgin, *ardal*, Llanfynydd, Ffl.	33/2759
Pontybrenin, *p.*, Casllwchwr/Tre-gŵyr, Morg.	21/5997
Pont y Cim, *pont*, Clynnog, Caern.	23/4452
Pont-y-clun (**Pont-y-clown**), *p.*, Llantrisant, Morg.	31/0381
Pontycymer, *p.*, Llangeinwyr, Morg.	21/9091
Pontyfelin, *p.*, Llan-non/Llanarthne, Caerf.	22/5312
Pontyglasier, *p.*, Eglwys-wen, Penf.	22/1436

Pont-y-gwaith, *p.*, Rhondda, Morg.	31/0194
Pontymister, *p.*, Rhisga, Myn.	31/2390
Pont-y-moel, gw. **Llanfihangel Pont-y-moel.**	
Pontypridd, *pl.*, *t.*, Morg.	31/0789
Pont-y-pŵl (Pontypool), *pl.*, *t.*, Myn.	32/2800
Pont-yr-hyl, *p.*, Llangeinwyr, Morg.	21/9089
Pont-y-waun, *p.*, Rhisga, Myn.	31/2292
Port Dinorwic, gw. **Felinheli, Y.**	
Port Einon, *pl.*, *p.*, Morg.	21/4685
Portin-llaen (Porth Dinllaen), *b.*, Nefyn, Caern.	23/2741
Portis-bach, *ff.*, Llandysilio, Caerf.	22/1223
Porth (Y), *t.*, Rhondda, Morg.	31/0291
Porthaethwy (Menai Bridge), *p.*, Llandysilio, Môn.	23/5571
Porth-aml, *plas*, Llanidan, Môn.	23/5068
plas, Talgarth, Brych.	32/1635
Porthcaseg, *ff.*, St. Arvans, Myn.	31/5298
Porth-cawl, *t.*, Drenewydd yn Notais, Morg.	21/8176
Porth Ceiriad, *b.*, Llanengan, Caern.	23/3024
Porthceri, *pl.*, *p.*, Morg.	31/0866
Porth Dwfn, *cil.*, Llanrhian, Penf.	12/8032
Porth Ferin, *cil.*, Aberdaron, Caern.	23/1732
Porth-gain, *cil.*, *p.*, Llanrhian, Penf.	12/8132
Porth Glais, *cil.*, Tyddewi, Penf.	12/7423
Porth Glastwr, *cil.*, Mathri, Penf.	12/8634
Porth Golmon, *cil.*, *ff.*, Tudweiliog, Caern.	23/1934
Porth Gwyn, *cil.*, Tyddewi, Penf.	12/7428
Porth Lisgi, *cil.*, *ff.*, Tyddewi, Penf.	12/7323
Porth Mawr, *hyn.*, Crucywel, Brych.	32/2118
b., Tyddewi, Penf.	12/7226
Porth Meudwy, *cil.*, Aberdaron, Caern.	23/1625
Porth Neigwl, *b.*, Caern.	23/2426
Porthor (*nid* **Porth Oer**), *b.*, Aberdaron, Caern.	23/1630
Porthorion, *cil.*, Aberdaron, Caern.	23/1528
Porth Selau, *cil.*, Tyddewi, Penf.	12/7226
Porth Sgadan, *cil.*, Tudweiliog, Caern.	23/2237
Porth Sgiwed (Porth Ysgewin) (Portskewett),	31/4988
pl., *p.*, Myn.	
Porth Solfach, *cil.*, Ynys Enlli, Caern.	23/1112
Porth Stinan, *cil.*, Tyddewi, Penf.	12/7225
Porth Sychan, *cil.*, Llanwnda, Penf.	12/9040
Porth Wen, *cil.*, Nefyn, Caern.	23/2741
Porth Ychen (*nid* **Ychain**), *cil.*, Tudweiliog, Caern.	23/2036
Porth y Gwichiad, *cil.*, Llaneilian, Môn.	23/4891
Porth-y-nant, *ardal*, Pistyll, Caern.	23/3544
Porth-y-rhyd, *p.*, Llanddarog, Caerf.	22/5115
ardal, Llanwrda/Cil-y-cwm, Caerf.	22/7137
Porth yr Ogof, *ogof*, Ystradfellte, Brych.	22/9212

Portmadoc (**Porthmadog**), *t.*, Ynyscynhaearn, 23/5638
  Caern.
Port Penrhyn, *p.*, Llandygái, Caern. 23/5972
Portskewett, gw. **Porth Sgiwed.**
Post-mawr (**Synod Inn**), *p.*, Llannarth, Cer. 22/4054
Powys Castle, gw. **Castell Coch, Y, (Powys).**
Pren-croes, *m.*, Llangadfan, Tfn. 33/0013
Pren-gwyn, *p.*, Llandysul, Cer. 22/4244
Pren-teg, *p.*, Dolbenmaen, Caern. 23/5841
Prescelly, gw. **Mynydd Presely.**
Prestatyn, *pl.*, *t.*, Ffl. 33/0682
Presteigne, gw. **Llanandras.**
Prion, *ardal*, Llanrhaeadr-yng-Nghinmeirch, Dinb. 33/0562
Prysaeddfed, *plas*, Bodedern, Môn. 23/3580
Prysgili, *ff.*, Mathri, Penf. 12/9129
Puffin Island (**Priestholm**), gw. **Ynys Seiriol.**
Pumlumon (**Plynlimon**), *m.*, Cer./Tfn. 22/7886
Pump-hewl (**Five Roads**), *p.*, Llanelli, Caerf. 22/4805
Pumsaint, *p.*, Cynwyl Gaeo, Caerf. 22/6540
Puncheston, gw. **Cas-mael.**
Pwll, *p.*, Pen-bre, Caerf. 22/4801
Pwllcrochan, *cil.*, Llanwnda, Penf. 12/8836
Pwlldawnau, *cil.*, Llanwnda, Penf. 12/8736
Pwll Deri, *cil.*, Llanwnda, Penf. 12/8838
Pwll-glas, *p.*, Efenechdyd, Dinb. 33/1154
Pwll-gwaun, *ardal*, Pontypridd, Morg. 31/0590
Pwllheli, *bd.*, Deneio, Caern. 23/3735
Pwllmeurig (**Pwll Meyrick**). *p.*, Matharn, Myn. 31/5192
Pwllstrodur, *cil.*, Mathri, Penf. 12/8633
Pwll-trap, *p.*, Sanclêr, Caerf. 22/2616
Pwlluffern Gothi, *cymer*, Llanddewibrefi, Cer./ 22/7449
  Cil-y-cwm, Caerf.
Pwll-y-blaidd a Thre'rdelyn (**Wolfpits and** 32/2159
  Harpton), *pl.*, Maesd.
Pwll-y-glaw, *p.*, Port Talbot, Morg. 21/7993
Pwll-y-wrach, *plas*, Tregolwyn, Morg. 21/9575
Pyle, gw. **Pîl, Y.**
Pyllalai (**Pilleth**), *pl.*, Maesd. 32/2568
Pysgotwr Fach, *a.*, Caerf./Cer. 22/7250
      Fawr, *a.*, Caerf./Cer. 22/7351

Q

Quakers Yard, gw. **Mynwent y Crynwyr.**
Quarter Bach, gw. **Cwarter Bach.**
Quellyn Lake, gw. **Llyn Cwellyn.**

R

Rachub, *p.*, Llanllechid, Caern.	23/6268
Radnor, New, gw. **Maesyfed.**	
Old, gw. **Pencraig.**	
Radur (Radyr), *pl.*, *p.*, Morg.	31/1380
p., Llanbadog Fawr, Myn.	32/3602
Raglan, gw. **Rhaglan.**	
Ralltgethin (Yr Allt Gethin), *bryn*, Llandinam, Tfn.	23/0386
Ram, *p.*, Pencarreg, Caerf.	22/5846
Ramsey Island, gw. **Ynys Dewi.**	
Rasa, *pl.*, *p.*, Myn.	32/1411
Red Roses, gw. **Rhos-goch.**	
Red Wharf Bay, gw. **Traeth Coch.**	
Resolfen, *pl.*, *p.*, Morg.	22/8202
Rhyndaston, gw. **Tre-indeg.**	
Rickeston, gw. **Trericert.**	
Rinaston, gw.. **Tre-einar.**	
Risca, gw. **Rhisga.**	
Rivals, The, gw. **Eifl, Yr.**	
Roath, gw. **Rhath, Y.**	
Roch, gw. **Garn, Y.**	
Rogerstone, gw. **Tŷ-du.**	
Ro-lwyd, Y, *m.*, Penmachno, Caern.	23/7650
Rossett, gw. **Orsedd, Yr.**	
Ro-wen, Y, *m.*, Penmachno/Dolwyddelan, Caern.	23/7449
p., Caerhun, Caern.	23/7571
Ruabon, gw. **Rhiwabon.**	
Rudry, gw. **Rhydri.**	
Rug, Y, *plas*, Corwen, Meir.	33/0544
Rumney, gw. **Tredelerch.**	
Ruperra, gw. **Rhiw'rperrai.**	
Ruthin, gw. **Rhuthun.**	

RH

Rhaeadr Ewynnol (Swallow Falls), Capel Curig, Caern.	23/7557
Rhaeadr Gwy (Rhayader), *pl.*, *t.*, Maesd.	22/9767
Rhaeadr Mawddach, *rhaeadr*, Llanfachreth/ Trawsfynydd, Meir.	23/7327
Rhagad, *plas*, Corwen, Meir.	33/0943
Rhaglan (Raglan), *pl.*, *t.*, Myn.	32/4107
Rhandir-mwyn, *p.*, Llanfair-ar-y-bryn, Caerf.	22/7843
Rhath, Y, (Roath), *ardal*, Caerdydd, Morg.	31/1977
Rhes-y-cae, *p.*, Helygain, Ffl.	33/1870

Rhewl, *p.*, Llanynys, Dinb.	33/1160
p., Llandysilio-yn-Iâl, Dinb.	33/1844
Rhewl (Mostyn), *p.*, Chwitffordd, Ffl.	33/1580
Rhigos, Y, *pl.*, *p.*, Morg.	22/9205
Rhinog Fach, *m.*, Llanenddwyn/Llanddwywe- uwch-y-graig, Meir.	23/6627
Fawr, *m,*. Llanbedr, Meir.	23/6528
Rhisga (Risca), *pl.*, *t.*, Myn.	31/2391
Rhiw, Y, *p.*, Aberdaron, Caern.	23/2227
Rhiwabon (Ruabon), *pl.*, *t.*, Dinb.	33/3043
Rhiwbeina, *p.*, Yr Eglwys Newydd, Morg.	31/1581
Rhiwbryfdir, *p.*, Ffestiniog, Meir.	23/6946
Rhiwderyn, *p.*, Graig, Myn.	31/2687
Rhiwedog-is-afon, *ardal*, Llanfor, Meir.	23/9732
-uwch-afon, *ardal*, Llanfor, Meir.	23/9331
Rhiwlas, *p.*, Llanddeiniolen, Caern.	23/5765
plas, Llanfor, Meir.	23/9237
Rhiwlen (Rhulen), *pl.*, *p.*, Maesd.	32/1349
Rhiwnant, *n.*, Llanwrthwl, Brych.	22/8860
ff., Llanwrthwl, Brych.	22/8961
Rhiw'radar, *ff.*, Llangathen, Caerf.	22/5923
Rhiw'rperrai (Ruperra), *plas*, Llanfedw, Morg.	31/2286
Rhiwsaeson, *p.*, Llantrisant, Morg.	31/0782
m., *a.*, *plas*, *ardal*, Llanbryn-mair, Tfn.	23/9005
Rhobell Fawr, *m.*, Llanfachreth, Meir.	23/7825
Rhobell-y-big, *m.*, Llanfachreth, Meir.	23/7828
Rhodogeidio (Rhodwydd Geidio), *pl.*, Môn.	23/4086
Rhondda, *pl.*, *bd.*, *a.*, *c.*, Morg.	21/9596
Rhoose, gw. **Rhws, Y.**	
Rhos, *ardal*, Slebets, Penf.	22/0014
p., Cilybebyll, Morg.	22/7303
p., Llangeler, Caerf.	22/3835
Rhosbeirio, *ardal*, Carreg-lefn, Môn.	23/3991
Rhoscolyn, *pl.*, *p.*, Môn.	23/2675
Rhoscrowdder (Rhoscrowther), *pl.*, *p.*, Penf.	12/9002
Rhos Ddiarbed, *hyn.*, Llandinam, Tfn.	32/0490
Rhos-ddu, *ardal*, Wrecsam, Dinb.	33/3251
Rhosesmor, *p.*, Llaneurgain, Ffl.	33/2168
Rhos Fallog, *rhostir*, Llanbister, Maesd.	32/1274
Rhos-fawr, *p.*, Llannor, Caern.	23/3839
Rhosferig, *pl.*, *ff.*, Brych.	32/0152
Rhosgadfan, *p.*, Llanwnda, Caern.	23/5057
Rhos-goch, *p.*, Rhos-y-bol, Môn.	23/4189
(Red Roses), *p.*, Eglwys Gymyn, Caerf.	22/2011
Rhos-hyl, *p.*, Cilgerran, Penf.	22/1940
Rhoshirwaun, *ardal*, Aberdaron/Botwnnog, Caern.	23/2030

Rhosili, *pl.*, *p.*, Morg.	21/4188
Rhos-lan, *ardal*, Llanystumdwy, Caern.	23/4840
Rhoslannog, *ardal*, Mathri, Penf.	12/8632
Rhoslefain, *p.*, Llangelynnin, Meir.	23/5705
Rhosllannerchrugog, *pl.*, *t.*, Dinb.	33/2946
Rhosllugwy, *p.*, Penrhosllugwy, Môn.	23/4886
Rhos-maen, *p.*, Llandeilo Fawr, Caerf.	22/6423
Rhos-meirch, *p.*, Llangefni, Môn.	23/4577
Rhosneigr, *p.*, Llanfaelog, Môn.	23/3172
Rhosnesni, *p.*, Wrecsam, Dinb.	33/3551
Rhosrobin, *p.*, Gwersyllt, Dinb.	33/3252
Rhostïe, *ardal*, Llanilar, Cer.	22/6172
Rhostirion, *rhostir*, Tre-goed a Felindre/Glyn-fach, Brych.	32/2133
Rhostryfan, *p.*, Llanwnda, Caern.	23/4957
Rhostyllen, *p.*, Esclusham, Dinb.	33/3148
Rhos-y-bol, *pl.*, *p.*, Môn.	23/4288
Rhosyclegyrn, *rhostir*, Tremarchog/Trefwrdan, Penf.	12/9135
Rhos-y-garth, *ardal*, Llanilar, Cer.	22/6372
Rhos y Gelynnen, *m.*, Llansanffraid Cwmteuddwr, Maesd.	22/8963
Rhos-y-gell, *rhostir*, Llanfihangel-y-Creuddyn Uchaf, Cer.	22/7375
Rhosygwaliau, *p.*, Llanfor, Meir.	23/9434
Rhosymedre, *p.*, Cefn, Dinb.	33/2842
Rhuallt, *p.*, Tremeirchion, Ffl.	33/0775
Rhuddlan, *pl.*, *t.*, Ffl.	33/0278
Rhulen, gw. **Rhiwlen.**	
Rhuthun, *pl.*, *bd.*, Dinb.	33/1258
Rhws, Y, (Rhoose), *p.*, Pen-marc/Porthceri, Morg.	31/0666
Rhyd, *p.*, Llanfrothen, Meir.	23/6341
Rhydaman (Ammanford), *pl.*, *t.*, Caerf.	22/6212
Rhydargaeau, *p.*, Llanllawddog/Llanpumsaint, Caerf.	22/4326
Rhydcymerau, *p.*, Llanybydder, Caerf.	22/5738
Rhyd-ddu, *p.*, Betws Garmon, Caern.	23/5652
Rhydfelen (*nid* **Rhyd-y-felin**), *p.*, Pontypridd, Morg.	31/0888
Rhydings, *p.*, Blaenhonddan, Morg.	21/7498
Rhydlafar, *ardal*, *ff.*, *ysbyty*, Sain Ffagan, Morg.	31/1179
Rhydlewis, *p.*, Llangynllo/Troed-yr-aur, Cer.	22/3447
Rhydlios, *ardal*, Aberdaron, Caern.	23/1830
Rhydlydan, *p.*, Pentrefoelas, Dinb.	23/8950
ardal, Llanwnnog, Tfn.	32/0593
Rhydodyn (*nid* **Rhydedwin**) (**Edwinsford**), *plas*, Llansawel, Caerf.	22/6334

Rhydoldog, *ff.,* Llansanffraid Cwmteuddwr,   22/9467
    Maesd.
Rhydowen, *ardal,* Cilmaenllwyd, Caerf.   22/1928
    p., Llandysul, Cer.   22/4445
Rhydri (Rudry), *pl., ardal,* Morg.   31/1986
Rhydsarnau, *ardal,* Llan-non, Caerf.   22/5710
Rhyduchaf, *p.,* Llanycil, Meir.   23/9037
Rhyd-wen, *ardal,* Cwarter Bach, Caerf.   22/7313
Rhydwhiman (Chwima), *ff.,* Trefaldwyn, Tfn.   32/2198
Rhydwilym, *ardal, cp.,* Llandysilio, Caerf.   22/1124
Rhyd-wyn, *p.,* Llanrhuddlad, Môn.   23/3188
Rhydyceisiaid, *ardal, cp.,* Llanboidy/Llangynnin,   22/2421
    Caerf.
Rhydyclafdy, *p.,* Buan/Llannor, Caern.   23/3234
Rhydyclwydau, *n.,* Llandinam, Tfn./Abaty   22/ 9977
    Cwm-hir, Maesd.
Rhydycroesau, *p.,* Llansilin, Dinb./Amwythig   33/2430
Rhydyfelin, *p.,* Aberystwyth/Llanbadarn-y-   22/5979
    Creuddyn Isaf, Cer.
    Morg., gw. **Rhydfelen.**
Rhyd-y-foel, *p.,* Abergele, Dinb.   23/9176
Rhyd-y-fro, *p.,* Llan-giwg, Morg.   22/7105
Rhyd-y-gwern, *pl.,* Morg.   31/2088
Rhyd-y-gwin, *p.,* Rhyndwyglydach, Morg.   22/6703
Rhydygwystl, *ardal,* Llannor/Llanystumdwy, Caern. 23/4039
Rhyd-y-main, *ardal,* Llanfachreth, Meir.   23/8022
Rhyd-y-meirch, *p.,* Llanofer Fawr, Myn.   32/3107
Rhydymilwyr, *hyn.,* Brych./Myn.   32/0911
Rhyd-y-mwyn, *p.,* Cilcain/Yr Wyddgrug, Ffl.   33/2066
Rhydypennau, *ardal,* Caerdydd, Morg.   31/1881
    p., Tirymynach/Genau'r-glyn, Cer.   22/6285
Rhydyronnen, *ardal, st.,* Towyn, Meir.   23/6102
Rhyl, Y, *pl., t.,* Ffl.   33/0081
Rhylownyd (Newmarket), gw. **Trelawnyd.**
Rhymni, *pl., t.,* Myn.   32/1107
Rhyndwyglydach, *pl.,* Morg.   22/6805
Rhytalog, *p.,* Treuddyn, Ffl.   33/2355

S

Saethon, *ff.,* Buan, Caern.   23/2932
Sain Dunwyd (St. Donat's), *pl., ca., b.*   21/9368
Sain Ffagan (St. Fagans), *pl., p., plas,* Morg.   31/1277
Sain Ffred (Ffraid) (St. Brides), *pl., eg.,* Penf.   12/8010
Sain Nicolas (St. Nicholas), *pl., p.,* Morg.   31/0974
Sain Pedr (St. Peter's), *pl.,* Caerf.   22/4120
Sain Pedrog (St. Petrox), *pl., eg.,* Penf.   11/9797

Sain Pŷr (St. Pierre), *eg.*, *plas*, Matharn, Myn.   31/5190
Sain Silian (St. Julians), *eg.*, Casnewydd-ar-Wysg,   31/3489
Myn.
Sain Siorys (St. George-super-Ely), *pl.*, *p.*,   31/0976
Morg.
Saint Andras (St. Andrews Major), *pl.*, *eg.*,   31/1371
Morg.
Sain Tathan (St. Athan), *pl.*, *p.*, Morg.   31/1067
Saint Harmon, *pl.*, *p.*, Maesd.   22/9872
Saint Hilari, *pl.*, *p.*, Morg.   31/0173
Saint Ishel (St. Issells), *pl.*, Penf.   22/1206
Saint-y-brid (St. Brides Major), *pl.*, *p.*, Morg.   21/8974
     (St. Bride's Netherwent), *ardal*, *eg.*,   31/4289
     Caer-went, Myn.
Saint-y-nyll, *plas*, *hyn.*, Llansanffraid-ar-Elái, Morg.   31/0978
St. Asaph, gw. **Llanelwy**.
St. Brides, Pem., gw. **Sain Ffred**.
St. Brides Major, gw. **Saint-y-brid**.
St. Bride's Minor, gw. **Llansanffraid-ar-Ogwr**.
St. Bride's Netherwent, gw. **Saint-y-brid**.
St. Brides-super-Ely, gw. **Llansanffraid-ar-Elái**.
St. Bride's Wentlloog, gw. **Llansanffraid Gwynllŵg**.
St. Clears, gw. **Sanclêr**.
St. David's, gw. **Tyddewi**.
St. Dogmaels, gw. **Llandudoch**.
St. Dogwells, gw. **Llantydewi**.
St. Donat's, gw. **Sain Dunwyd**.
St. Edrens, *pl.*, *eg.*, Penf.   12/8928
St. Elvis, gw. **Llaneilfyw**.
St. George, Dinb., gw. **Llan Sain Siôr**.
St. George-super-Ely, gw. **Sain Siorys**.
St. Ishmael, gw. **Llanismel**.
St. Lythan's, gw. **Llwyneliddon**.
St. Mary Church, gw. **Llan-fair**.
St. Mary Hill, gw. **Eglwys Fair y Mynydd**.
St. Mary in/out Liberty, gw. **Llanfair Dinbych-y-pysgod**.
St. Maughan's, gw. **Llanfocha**.
St. Mellons, gw. **Llaneirwg**.
St. Nicholas, Pem., gw. **Tremarchog**.
St. Petrox, gw. **Sain Pedrog**.
Saith Maen, *hyn.*, Llanfihangel Brynpabuan, Brych.   22/9460
     hyn., Ystradgynlais Uchaf, Brych.   22/8315
Salem (Heolgaled), *p.*, Llandeilo Fawr, Caerf.   22/6226
Sanclêr, *pl.*, *p.*, Caerf.   22/2716
Sarn, *p.*, Ceri, Tfn.   32/2090
     p., Llansanffraid-ar-Ogwr, Morg.   21/9083
Sarn (Mellteyrn), *p.*, Botwnnog, Caern.   23/2332

Sarnau, *p.*, Llanfor, Meir.	23/9739
ardal, Llannewydd, Caerf.	22/3318
p., Cegidfa, Tfn.	33/2315
p., Penbryn, Cer.	22/3150
Sarnbigog, *bryn*, Llanbryn-mair, Tfn.	22/9198
Sarn Gynfelyn, *basle*, Llangorwen, Cer.	22/5885
Saron, *p.*, Llandybïe, Caerf.	22/5912
p., Llangeler, Caerf.	22/3737
Saron (Pentre Saron), *p.*, Nantglyn, Dinb.	33/0260
Sblot, Y, (Splott), *ardal*, Caerdydd, Morg.	31/2076
Senghennydd, *p.*, Eglwysilan, Morg.	31/1190
Selwrn, *ardal*, Llandderfel, Meir.	23/9835
Senni, *pl.*, Brych.	22/9320
Senny Bridge, gw. **Pontsenni.**	
Seven Sisters, gw. **Blaendulais.**	
Sgeibir (Skybbir), *m.*, Llanfair Nant-y-gof/	12/9630
Casnewydd-bach/Treletert, Penf.	
Sger, Y, *pl.*, *pen.*, *plas*, Morg.	21/7879
Sgeti (Sketty), *ardal*, Abertawe, Morg.	21/6293
Sgethrog, *ardal*, Llansanffraid, Brych.	32/1025
Sgithwen, *n.*, Crucadarn/Llandyfalle, Brych.	32/0940
Sgiwen (Skewen), *t.*, Coed-ffranc, Morg.	21/7297
Sgwd Einion Gam, *rhaeadr*, Nedd Uchaf, Morg./	22/8909
Ystradfellte, Brych.	
Sgwd yr Eira, *rhaeadr*, Ystradfellte, Brych.	22/9310
Shirenewton, gw. **Drenewydd Gelli-farch.**	
Siginston, gw. **Tresigin.**	
Sili (Sully), *pl.*, *p.*, Morg.	31/1568
Silian, *pl.*, *p.*, Cer.	22/5751
Silstwn (Gileston), *pl.*, *p.*, Morg.	31/0167
Singrug (Eisingrug), *ardal*, *a.*, Talsarnau, Meir.	23/6134
Sirhywi, *p.*, Tredegar, Myn.	32/1410
Skenfrith, gw. **Ynysgynwraidd.**	
Sker, gw. **Sger, Y.**	
Skerries, gw. **Ynysoedd y Moelrhoniaid.**	
Skewen, gw. **Sgiwen.**	
Skirrid, gw. **Ysgyryd Fawr.**	
Slebets (Slebech), *pl.*, *plas*, Penf.	22/0314
Snowdon, gw. **Wyddfa, Yr.**	
Soar-y-mynydd, *cp.*, Llanddewibrefi/Caron-uwch-	22/7853
clawdd, Cer.	
Solfach (Solva), *p.*, Tre-groes, Penf.	12/8024
Sonlli (Sontley), *ardal*, Marchwiail, Dinb.	33/3346
Soughton, gw. **Sychdyn.**	
Splott, gw. **Sblot, Y.**	
Stalling Down, gw. **Bryn Owen.**	
Staylittle (Penffordd-las), *p.*, Trefeglwys, Tfn.	22/8892

Strade (Ystradau) (**Stradey Park**), *plas*, *ardal*,   22/4901
  Llanelli, Caerf.
Strata Florida, gw. **Ystrad-fflur.**
Sugar Loaf, gw. **Mynydd Pen-y-fâl.**
Sully, gw. **Sili.**
Surnant, *ardal*, Llanwnnog, Tfn.   32/0093
Swallow Falls, gw. **Rhaeadr Ewynnol.**
Swansea, gw. **Abertawe.**
Swyddffynnon, *p.*, Lledrod Uchaf, Cer.   22/6966
Sycharth, *ca.*, *ff.*, *pont*, Llansilin, Dinb.   33/2025
Sychdyn (Soughton), *p.*, *plas*, Llaneurgain, Ffl.   33/2466
Sychnant, *ff.*, Ceri, Maesd.   32/1286
         ff., Saint Harmon, Maesd.   22/9777
         bw., Dwygyfylchi, Caern.   23/7477
Sygyn Fawr, *mwyn.*, Beddgelert, Caern.   23/5948
Synod Inn (Post-mawr), *p.*, Llannarth, Cer.   22/4054

T

Tafarnau Bach, *p.*, Llechryd/Dukestown, Myn.   32/1110
Tafarngelyn, *ardal*, Llanferres, Dinb.   33/1861
Tafarnyfedw, gw. **Pentre Tafarnyfedw.**
Tafarn-y-gath, *ardal*, Llandegla, Dinb.   33/2151
Tafolwern, *p.*, Llanbryn-mair, Tfn.   23/8902
Taff's Well, gw. **Ffynnon Taf.**
Tai-bach, *ardal*, Port Talbot, Morg.   21/7788
Taironnen, *ardal*, Mawr, Morg.   22/6503
         ff., Llanddunwyd, Morg.   31/0374
Talacharn, gw. **Lacharn.**
Talacre, *p.*, Llanasa, Ffl.   33/1183
Talach-ddu, *pl.*, Brych.   32/0733
Talbenni (Talbenny), *pl.*, *p.*, Penf.   12/8412
Talcen Eithin, *m.*, Llanfor, Meir.   23/8343
Talcen Llwyd, *m.*, Penmachno/Eidda, Caern.   23/7946
Talerddig, *ardal*, Llanbryn-mair, Tfn.   23/9300
Talgarreg, *p.*, Llandysiliogogo, Cer.   22/4251
Talgarth, *pl.*, *p.*, Brych.   32/1533
Talhenbont, *plas*, Llanystumdwy, Caern.   23/4639
Taliaris, *ardal*, *plas*, Llandeilo Fawr, Caerf.   22/6428
Taliesin, gw. **Tre Taliesin.**
Talley, gw. **Talyllychau.**
Talog, *p.*, Aber-nant, Caerf.   22/3325
Tal-sarn, *cp.*, Llanddeusant, Caerf.   22/7726
         p., Trefilan, Cer.   22/5456
Talsarnau, *pl.*, *p.*, Meir.   23/6135
Talweunydd, *ardal*, Ffestiniog, Meir.   23/6947

Talwrn, *p.*, Esclusham, Dinb.	33/2947
p., Llanddyfnan, Môn.	23/4977
Tal-y-bont, *p.*, Caerhun, Caern.	23/7668
p., Ceulan-a-Maesmor, Cer.	22/6589
p., Llandygái, Caern.	23/6070
p., Llanddwywe-is-y-graig, Meir.	23/5921
(**Buttington**), *p.*, Tre-wern, Tfn.	33/2408
Tal-y-bont ar Wysg, *p.*, Llanddeti, Brych.	32/1122
Tal-y-cafn, *p.*, Eglwys-bach, Dinb.	23/7871
Tal-y-coed, *plas*, Llandeilo Gresynni, Myn.	32/4115
Tal-y-fan, *m.*, Caerhun/Dwygyfylchi/Henryd, Caern.	23/7372
Tal-y-garn, *plas*, Llantrisant, Morg.	31/0380
Talyllychau (**Talley**), *pl.*, *p.*, *abaty*, Caerf.	22/6332
Tal-y-llyn, *pl.*, *ardal*, Meir.	23/7109
Talymignedd, *ff.*, Llanllyfni, Caern.	23/5352
Tal-y-sarn, *p.*, Llanllyfni, Caern.	23/4853
Tal-y-waun, *p.*, Abersychan, Myn.	32/2604
Tal-y-wern, *ardal*, Darowen, Tfn.	23/8200
Tancredston, gw. **Trebwrnallt.**	
Tanerdy, *p.*, Sain Pedr, Caerf.	22/4220
Tan-y-bwlch, *plas*, Ffestiniog, Meir.	23/6540
ysbyty, Llanychaearn, Cer.	22/5879
Tan-y-fron, *p.*, Brymbo, Dinb.	33/2952
Tanygrisiau, *p.*, Ffestiniog, Meir.	23/6845
Tan-y-groes, *p.*, Penbryn/Betws Ifan, Cer.	22/2849
Tan-y-gyrt, *ff.*, Nantglyn, Dinb.	33/0163
Tarren* Hendre, *clog.*, Llanfihangel-y-Pennant/ Pennal/Towyn, Meir.	23/6804
Tarren Saerbren, *clog.*, Rhondda, Morg.	21/9297
Tarren Tormwnt, *llechwedd*, Llanfeugan/Llanddeti, Brych.	32/0415
Tarren y Bwllfa, *clog.*, Rhondda, Morg.	21/9693
Tarren y Gesail, *clog.*, Pennal/Tal-y-llyn, Meir.	23/7106
Tegryn, *p.*, Clydau, Penf.	22/2233
Tenby, gw. **Dinbych-y-pysgod.**	
Thaw, gw. **Afon Ddawan.**	
Thomastown, gw. **Tretomas.**	
Three Crosses, gw. **Crwys, Y.**	
Tintern, gw. **Tyndyrn.**	
Tirabad, *eg.*, *ff.*, Llanddulas, Brych.	22/8741
Tir-bach, *ardal*, Nedd Uchaf, Morg.	22/8509
Tircanol, *ardal*, Abertawe, Morg.	21/6798
Tirdeunaw, *ardal*, Abertawe, Morg.	21/6497
Tir Ifan, *pl.*, Dinb.	23/8446

* Gweler hefyd yr enwau ar ôl **Darren.**
See also under **Darren.**

Tirpentwys, *ardal*, Abersychan, Myn.	31/2499
Tir-phil, *p.*, Gelli-gaer, Morg.	32/1303
Tir-y-dail, *ardal*, Rhydaman, Caerf.	22/6212
Tirymynach, *pl.*, Cer.	22/6585
ardal, Llanbryn-mair, Tfn.	23/9201
Tomen* Fawr, *hyn.*, Llanystumdwy, Caern.	23/4537
Tomen Llanio, *hyn.*, Llanddewibrefi, Cer.	22/6657
Tomen y Bala, *hyn.*, Bala, Meir.	23/9236
Tomen y Faerdre, *hyn.*, Llanarmon-yn-Iâl, Dinb.	33/1956
Tomen y Gwyddel, *hyn.*, Llangadwaladr, Dinb.	33/1735
Tomen y Meirw, *hyn.*, Llansanffraid Glynceiriog, Dinb.	33/1638
Tomen y Mur, gw. **Castell Tomen-y-mur.**	
Tomen y Rhos, *hyn.*, Myddfai, Caerf.	22/8029
Ton-du, *p.*, Castellnewydd Uchaf, Morg.	21/8984
Tonfannau (Tryfannau), *st.*, Llangelynnin, Meir.	23/5603
Tongwynlais, *p.*, Yr Eglwys Newydd, Morg.	31/1382
Tonna, *pl.*, *p.*, Morg.	21/7798
Tonpentre, *t.*, Rhondda, Morg.	21/9695
Ton-teg, *p.*, Llanilltud Faerdref, Morg.	31/0986
Tonypandy, *t.*, Rhondda, Morg.	21/9992
Tonyrefail, *p.*, Llantrisant, Morg.	31/0188
Torpantau, *llechwedd*, Llanfeugan, Brych.	31/0417
Towyn (Tywyn), *pl.*, *p.*, Meir.	23/5800
Traean-glas, *pl.*, Brych.	22/8325
Traean-mawr, *pl.*, Brych.	22/8632
Traeth Bach, *traeth ac aber*, Talsarnau, Meir.	23/5636
Traeth Coch (Red Wharf Bay), *traeth*, Môn.	23/5481
Traeth Crugau, *traeth*, Llanbedrog/Llannor/ Deneio, Caern.	23/3433
Traeth Cymyran, *traeth*, Llanfair-yn-neubwll, Môn.	23/3074
Traeth Dulas, *traeth*, Llaneilian/Penrhosllugwy, Môn.	23/4888
Traeth Lafan, *traeth*, Caern.	23/6275
Traeth Llugwy, *traeth*, Penrhosllugwy, Môn.	23/4987
Traeth Maelgwn, *basle*, Llangynfelyn, Cer.	22/6294
Traeth Mawr, *ardal*, Llanfrothen, Meir.	23/5939
traeth, Tyddewi, Penf.	12/7326
Traeth Melynog, *traeth*, Niwbwrch, Môn.	23/4362
Traeth-saith, gw. **Tre-saith.**	
Trallwng, Y, (Welshpool), *bd.*, *pl.*, Tfn.	33/2207
(**Trallong**), *pl.*, Brych.	22/9629
Trannon, *ardal*, *ff.*, Llanbryn-mair, Tfn.	22/9095
Transh, Y, *p.*, Abersychan, Myn.	32/2700
ardal, Llandudwg Uchaf, Morg.	21/8581

* Gweler hefyd yr enwau ar ôl **Domen.**
See also under **Domen.**

Trap, *p.*, Llandeilo Fawr, Caerf.		22/6518
Trawsallt, *m.*, Ysbyty Ystwyth, Cer.		22/7770
Trawsfynydd, *pl.*, *p.*, Meir.		23/7035
Trawsgoed, *p.*, Llanilar, Cer.		22/6672
plas, Llanafan, Cer.		22/6773
Trawsnant, *n.*, Trefeglwys, Tfn.		22/9093
Trealaw, *p.*, Rhondda, Morg.		21/9992
Treamlod (Ambleston), *pl.*, *p.*, Penf.		22/0025
Trearddur, *b.*, *p.*, Caergybi, Môn.		23/2578
Trebannws (Trebanos), *p.*, Rhyndwyglydach, Morg.		22/7103
Trebanog, *p.*, Rhondda, Morg.		31/0190
Trebeddrod, *cronfa ddŵr*, Llanelli, Caerf.		22/5002
Trebefered (Boverton), *p.*, Llanilltud Fawr, Morg.		21/9868
Treberfedd (Middletown), *pl.*, *p.*, Tfn.		33/3012
Trebifan, *p.*, Cwmaman, Caerf.		22/6913
Tre-boeth, *p.*, Abertawe, Morg.		21/6596
Treborth, *p.*, Pentir, Caern.		23/5570
Trebwfer, *ff.*, Abergwaun, Penf.		12/9635
Trebwrnallt (Tancredston), *ff.*, Breudeth, Penf.		12/8826
Trecastell, *hyn.*, Llanhari, Morg.		31/0181
p., Traean-mawr, Brych.		22/8829
Tre-coed, gw. **Diserth a Thre-coed.**		
Trecŵn, *p.*, Llandudoch, Penf.		22/1448
p., Llanstinan, Penf.		12/9632
Trecynon, *p.*, Aberdâr, Morg.		22/9903
Tredegar, *pl.*, *t.*, Myn.		32/1409
Tredegyr (Tredegar), *plas*, Dyffryn, Myn.		31/8528
Tredelerch (Rumney), *p.*, Caerdydd, Morg.		31/2179
Tredogan, *ardal*, Pen-marc, Morg.		31/0667
Tredwstan, *p.*, Talgarth, Brych.		32/1332
Tredynog (Tredunnock), *p.*, Llanhenwg Fawr, Myn.		31/3794
Tre-einar (Rinaston), *ff.*, Treamlod, Penf.		12/9825
Trefaldwyn (Montgomery), *sir*, *pl.*, *bd.*		32/2296
Trefalun (Allington), *pl.*, *p.*, Dinb.		33/3856
Trefaser, *p.*, Llanwnda, Penf.		12/8938
(Asheston), *ff.*, Breudeth, Penf.		12/8825
Trefdraeth, *pl.*, *p.*, Môn.		23/4070
Trefdraeth (Newport), *pl.*, *p.*, Penf.		22/0539
Trefdreyr, gw. **Troed-yr-aur.**		
Trefddyn (Trefethin), *p.*, Abersychan, Myn.		32/2801
Trefeca, *p.*, Talgarth, Brych.		32/1432
Trefechan, *p.*, Aberystwyth, Cer.		22/5881
Trefeglwys, *pl.*, *p.*, Tfn.		22/9790
Trefeinon, *ff.*, Llan-gors, Brych.		32/1330
Trefeirig, gw. **Trefeurig.**		
Trefelen (Bletherston), *pl.*, *p.*, Penf.		22/0621

Trefenter, *p.*, Llangwyryfon, Cer.   22/6068
Trefesgob (Bishton), *pl.*, *p.*, Myn.   31/3987
Trefeurig, *pl.*, Cer.   22/6883
Trefgarn, *pl.*, *p.*, Penf.   12/9523
Trefgarnowen, *ardal*, Breudeth, Penf.   12/8625
Trefignath, *ff.*, *hyn.*, Caergybi, Môn.   23/2580
Trefil, *p.*, Dukestown, Myn.   32/1212
Trefilan, *pl.*, *p.*, Cer.   22/5457
Trefil Ddu, *m.*, Dukestown, Myn.   32/1113
Trefil Las, *m.*, Dukestown, Myn.   32/1213
Tre-fin, *p.*, Llanrhian, Penf.   12/8432
Treflys, *pl.*, Brych.   22/9048
Trefnant, *pl.*, *p.*, Dinb.   33/0570
Trefonnen (Tre'r Onnen) (Nash), *pl.*, Myn.   31/3483
Trefor, *p.*, Llanaelhaearn, Caern.   23/3746
    p., Llangollen, Dinb.   33/2642
Treforgan, gw. **Pentre-poeth (Morganstown).**
Treforys, *t.*, Abertawe, Morg.   21/6697
Trefriw, *pl.*, *p.*, Caern.   23/7863
Trefwrdan (Jordanston), *pl.*, Penf.   12/9132
Trefyclo (Trefyclawdd) (Knighton), *pl.*, *t.*, Maesd. 32/2872
Trefynwy (Monmouth), *pl.*, *bd.*, Myn.   32/5012
Trefflemin (Flemingston), *pl.*, *p.*, Morg.   31/0170
Treffleming, *ardal*, Ystradgynlais Isaf, Brych.   22/8112
Trefforest, *p.*, Pontypridd, Morg.   31/0888
    ystad ddiwydiannol, Llanilltud Faerdref/   31/1086
       Pontypridd, Morg.
Treffynnon (Holywell), *pl.*, *t.*, Ffl.   33/1875
Tregaean, *pl.*, *plas*, Môn.   23/4579
Treganeithw (Knaveston), *ff.*, Breudeth, Penf.   12/8724
Tregare, gw. **Tre'r-gaer.**
Tregaron, *p.*, Caron-is-clawdd, Cer.   22/6759
Tre-garth, *p.*, Llandygái, Caern.   23/6067
Tregatwg (Cadoxton), *p.*, Y Barri, Morg.   31/1269
Tregantllo (Tregawntlo) (Candleston), *ff.*,   21/8777
    Merthyr Mawr, Morg.
Tregeiriog, *p.*, Llangadwaladr, Dinb.   33/1733
Tregele, *p.*, Llanbadrig, Môn.   23/3592
Tre-gib, *plas*, Llandeilo Fawr, Caerf.   22/6321
Treginis, *ardal*, Tyddewi, Penf.   12/7224
Treglement (Clemenston), *plas*, Saint Andras,   21/9273
    Morg.
Tre-goed, *plas*, Tre-goed a Felindre, Brych.   32/1937
Tre-goed a Felindre, *pl.*, Brych.   32/2035
Tregolwyn (Colwinston), *pl.*, *p.*, Morg.   21/9475
Tre-groes, *p.*, Llandysul, Cer.   22/4044
    plas, Pen-coed, Morg.   21/9681

Tre-groes (**Whitchurch**), *pl.*, *eg.*, Penf.	12/7925
Treguff, *ff.*, Llancarfan, Morg.	31/0371
Tre-gŵyr (**Gowerton**), *pl.*, *t.*, Morg.	21/5996
Tregynon, *pl.*, *p.*, Tfn.	32/0998
Trehafod, *p.*, Rhondda/Pontypridd, Morg.	31/0490
Treharris, *t.*, Merthyr Tudful, Morg.	31/0997
Treherbert, *t.*, Rhondda, Morg.	21/9498
p., Pencarreg, Caerf.	22/5846
Trehopcyn (**Hopkinstown**), *p.*, Pontypridd, Morg.	31/0690
Tre-hyl (**Tre-hill**), *p.*, Sain Nicolas, Morg.	31/0874
Tre-indeg (**Rhyndaston**), *ff.*, Cas-lai, Penf.	12/8923
Trelái (**Ely**), *ardal*, Caerdydd, Morg.	31/1476
Trelales (**Laleston**), *pl.*, *p.*, Morg.	21/8779
Trelawnyd (**Newmarket**), *pl.*, *p.*, Ffl.	33/0979
Tre-lech a'r Betws, *pl.*, *p.*, Caerf.	22/3026
Treletert (**Letterston**), *pl.*, *p.*, Penf.	12/9429
Trelewis, *p.*, Gelli-gaer, Morg.	31/1097
Trelisi, *ff.*, Amroth, Penf.	22/1708
Trelleck, gw. **Tryleg.**	
Trelogan, *p.*, Llanasa, Ffl.	33/1180
Trelystan, *pl.*, Tfn.	33/2505
Tremadoc (**Tremadog**), *p.*, Ynyscynhaearn, Caern.	23/5640
Tre-main, *p.*, Llangoedmor/Y Ferwig, Cer.	22/2348
Tremarchog (**St. Nicholas**), *pl.*, *p.*, Penf.	12/9035
Tremeirchion, *pl.*, *p.*, Ffl.	33/0873
Trenewydd Gelli-farch (**Shirenewton**), gw. **Drenewydd Gelli-farch.**	
Treopert (**Granston**), *pl.*, *p.*, Penf.	12/8934
Treorci, *t.*, Rhondda, Morg.	21/9596
Tre-os (*nid* **Tre-oes**), *p.*, Llan-gan, Morg.	21/9478
Treowen, *p.*, Aber-carn, Myn.	31/2098
Treowman (**Brimaston**), *p.*, Cas-lai, Penf.	12/9325
Tre'r Ceiri, *hyn.*, Llanaelhaearn, Caern.	23/3744
Tre'rdelyn a Phwll-y-blaidd (**Harpton and Wolfpits**), *pl.*, Maesd.	32/2059
Tre'r-ddôl, *p.*, Llangynfelyn, Cer.	22/6592
Tre'r-gaer, *p.*, Llanfihangel Troddi, Myn.	32/4110
Trericert (**Rickeston**), *ff.*, Breudeth, Penf.	12/8425
Treriweirth, *ardal*, Llangynog, Tfn.	33/0129
Tre'r-llai (**Leighton**), *p.*, Trelystan, Tfn.	33/2405
Tre'r-llan, *ardal*, Llandderfel, Meir.	23/9737
Tre'ronnen (**Trefonnen**) (**Nash**), *pl.*, *p.*, Myn.	31/3483
Trerhedyn, gw. **Atpar.**	
Trerhingyll, *ff.*, Llanfleiddan, Morg.	31/0076
Tre-saith (*nid* **Traeth-saith**), *p.*, Penbryn, Cer.	22/2751
Tresigin (**Siginston**), *p.*, Llanilltud Fawr, Morg.	21/9771
Tresimwn (**Bonvilston**), *pl.*, *p.*, Morg.	31/0673

Tre Taliesin, *p.*, Llangynfelyn, Cer.	22/6591
Treteio, *p.*, Tyddewi, Penf.	12/7828
Tretomas (Thomastown), *p.*, Bedwas, Myn.	31/1888
Tretŵr (Tretower), *p.*, *ca.*, Llanfihangel Cwm Du, Brych.	32/1821
Treuddyn (Tryddyn), *pl.*, *p.*, Ffl.	33/2558
Trewalchmai, *pl.*, Môn.	23/3975
Trewallter (Walterston), *ff.*, St. Edrens, Penf.	12/8927
ff., Llancarfan, Morg.	31/0671
Trewên (Eweston), *ardal*, Breudeth, Penf.	12/8723
Tre-wern, *pl.*, *p.*, Tfn.	33/2811
pl., *ff.*, Maesd.	32/2257
ff., Llandegley, Maesd.	32/1462
Trewiliam (Williamstown), *p.*, Rhondda, Morg.	31/0090
Trewyddel (Moylgrove), *pl.*, *p.*, Penf.	22/1144
Trewyddfa, *ardal*, Abertawe, Morg.	21/6697
Trewyn, *p.*, Crucornau Fawr, Myn.	32/3222
Trichrug (Trychrug), *m.*, Llangadog, Caerf.	22/6923
bryn, Cilcennin/Trefilan, Cer.	22/5459
Tri Chrugiau, *hyn.*, Penbuallt, Brych.	22/9343
Triffrwd, *n.*, Llandyfalle, Brych.	32/1136
Trimsaran, *p.*, Pen-bre, Caerf.	22/4504
Trisant, *cp.*, *ysgol*, Llanfihangel-y-Creuddyn Uchaf, Cer.	22/7175
Troedrhiw-gwair, *p.*, Tredegar, Myn.	32/1506
Troed-yr-aur (Trefdreyr), *pl.*, *p.*, Cer.	22/3245, 22/3648
Troed-y-rhiw, *p.*, Merthyr Tudful, Morg.	32/0702
Trofarth, *ardal*, Betws-yn-Rhos, Dinb.	23/8569–72
Trostre, *ardal*, Llanelli, Caerf.	21/5299
eg., *hyn.*, Gwehelog Fawr, Myn.	32/3604
Trumau, *m.*, Llansanffraid Cwmteuddwr, Maesd.	22/8667
Trum y Ddysgl, *clog.*, Llanllyfni, Caern.	23/5451
Trum y Fawnog, *m.*, Llangynog, Tfn.	33/0026
Trum y Gŵr, *hyn.*, Llansanffraid Cwmteuddwr, Maesd.	22/8372
Trwst Llywelyn, *ff.*, Aberriw, Tfn.	32/1998
Trwyn Cilan, *pen.*, Llanengan, Caern.	23/2923
Trwyn Du, *pen.*, Llangoed, Môn.	23/6481
Trwyn Larnog (Lavernock Point), *pen.*, Larnog, Morg.	31/1867
Trwyn-swch, *m.*, Llansannan, Dinb.	23/9159
Trwyn Talfarach, *pen.*, Aberdaron, Caern.	23/2125
Trwyn y Bwa, *pen.*, Nyfer, Penf.	22/0542
Trwyn y Fulfran, *pen.*, Llanengan, Caern.	23/2823
Trwyn y Fuwch (Little Orme), *pen.*, Llandudno, Caern.	23/8182

Trwynysgwrfa, *m.*, Crucywel/Llanbedr Ystrad Yw, Brych.	32/2221
Tryddyn, gw. **Treuddyn.**	
Tryfan, *m.*, Capel Curig, Caern.	23/6659
Tryleg (**Trelech**), *pl.*, *p.*, Myn.	32/5005
Tudweiliog, *pl.*, *p.*, Caern.	23/2336
Tumble, gw. **Tymbl, Y.**	
Twdin, *hyn.*, Llanllywenfel, Brych.	22/9152
Twlc y Filiast, *hyn.*, Llangynog, Caerf.	22/3316
Twmbarlwm, *m.*, Rhisga, Myn.	31/2492
Twmpath Diwlith, *hyn.*, Llangynwyd/Port Talbot, Morg.	21/8388
Tŵr Gwyn, *hyn.*, Llanbryn-mair/Carno, Tfn.	22/9195
Twyncarno, *p.*, Rhymni, Myn.	32/1108
Twynllannan, *p.*, Llanddeusant, Caerf.	22/7524
Twyn Mwyalchod, *m.*, Cantref/Llanfrynach, Brych.	32/0217
Twyn Tudur, *hyn.*, Mynyddislwyn, Myn.	31/1993
Twyn y Beddau, *hyn.*, Llanigon/Y Gelli, Brych.	32/2438
Twyn y Gregen, *hyn.*, Llan-arth Fawr, Myn.	32/3609
Tŷ-croes, *ff.*, Aberffro, Môn.	23/3472
p., Llanedi, Caerf.	22/6010
Tŷ-crwyn, *p.*, Llanfyllin, Tfn.	33/1018
Tŷ-du (**Rogerstone**), *pl.*, *p.*, Myn.	31/2688
Tydweiliog, gw. **Tudweiliog.**	
Tyddewi (**St. David's**), *pl.*, *p.*, Penf.	12/7525
Tŷ Elltud, *hyn.*, Llanhamlach, Brych.	32/0926
Tylorstown, *p.*, Rhondda, Morg.	31/0195
Tylwch, *ardal*, Llandinam, Tfn.	22/9680
Tyllgoed (**Fairwater**), *ardal*, Caerdydd, Morg.	31/1477
Tymbl, Y, *p.*, Llan-non, Caerf.	22/5411
Tŷ-nant, *ardal*, Llanuwchllyn, Meir.	23/9026
ardal, Llangwm, Dinb.	23/9944
Tyndyrn (**Tintern**), *pl.*, *p.*, *abaty*, Myn.	32/5300
Tynewydd, *p.*, Rhondda, Morg.	21/9398
Ty'nlôn, *ardal*, Bodwrog, Môn.	23/4178
ardal, Llandwrog, Caern.	23/4657
Tyn'reithin, *ardal*, Caron-is-clawdd, Cer.	22/6662
Tyn-y-ffordd, *ardal*, Cwmrheidol, Cer.	22/7579
Tyn-y-groes, *p.*, Caerhun, Caern.	23/7771
Tyn-y-maes, *p.*, Llanllechid, Caern.	23/6363
Tyrau Mawr, *m.*, Llanfihangel-y-Pennant, Meir.	23/6713
Tythegston, gw. **Llandudwg.**	
Tywyn, *p.*, Abergele, Dinb.	23/9779
ff., Y Ferwig, Cer.	22/1650
Tywyn Trewan, *morfa*, Llanfair-yn-neubwll, Môn.	23/3075

U

Ucheldre, *ardal*, Betws Cedewain, Tfn.	32/1398
ardal, Llanfor, Meir.	23/9144
Undy, gw. **Gwndy.**	
Upper Boat, gw. **Glan-bad.**	
Upper Chapel, gw. **Capel Uchaf.**	
Upper Vaenor, gw. **Faenor Uchaf.**	
Usk, gw. **Brynbuga.**	
Usk, R., gw. **Afon Wysg.**	
Uwchlaw'r-coed, *ardal*, Llanwnnog, Tfn.	22/9896
Uwchmynydd, *ardal*, Aberdaron, Caern.	23/1425
Uwch-y-coed, *ardal*, Penegoes, Tfn.	22/8194
Uwchygarreg, *pl.*, Tfn.	22/7592

V

Vaenor, gw. **Faenor, Y.**
Valle Crucis, gw. **Llanegwest, Glyn-y-groes.**
Van, gw. **Fan, Y.**
Vardre, gw. **Faerdre.**
Varteg, gw. **Farteg, Y.**
Vaynor, gw. **Faenor, Y.**
Velindre, gw. **Felindre.**
Venny-fach, Brych., gw. **Fenni-fach, Y.**
Verwick, gw. **Ferwig, Y.**
Vorlan, gw. **Forlan, Y.**
Vroncysyllte, gw. **Froncysylltau.**
Vyrnwy, gw. **Afon Efyrnwy, Llyn Efyrnwy.**

W

Waen, gw. **Waun.**	
Walterston, gw. **Trewallter.**	
Waltwn (Walton), Dwyrain (East), *pl.*, *p.*, Penf.	22/0223
Gorllewin (West), *pl.*, Penf.	21/8612
Walwyn's Castle, gw. **Castell Gwalchmai.**	
Wallog, Y, *cil.*, *ff.*, Llangorwen, Cer.	22/5985
Waun, Y, (Chirk), *pl.*, *p.*, Dinb.	33/2937
Waun, Y, *pl.*, Ffl.	33/0574
Waunafon, *ardal*, Blaenafon, Myn.	32/2210
Waunarlwydd, *p.*, Abertawe, Morg.	21/6095
Waunclunda, *ardal*, Llansadwrn, Caerf.	22/6831
Waun-ddu, *ff.*, Cefn-llys, Maesd.	32/1062
Waun Farteg, *rhostir*, Abaty Cwm-hir, Maesd.	32/0076

Waunfawr, *pl.*, *p.*, Caern.	23/5259
ardal, Llanbadarn Fawr/Faenor	22/6081
Uchaf, Cer.	
Waun Garno, *m.*, Carno, Tfn.	22/9594
Waun-gron, *p.*, Abertawe, Morg.	21/6596
p., Llandeilo Tal-y-bont, Morg.	22/5902
Waun Hir, *rhostir*, Betws, Caerf.	22/6611
Waun Lluestowain, *rhostir*, Mochdre/Llandinam,	32/0384
Tfn.	
Waun Treoda, *comin*, Yr Eglwys Newydd, Morg.	31/1679
Waun y Gadair, *m.*, Trefeglwys, Tfn.	22/9188
Waun y Gadfa, *rhostir*, Llanwddyn, Tfn.	23/9223
Waun y Griafolen, *rhostir*, Llanuwchllyn, Meir.	23/8129
Waun y Mynach, *comin*, Llan-wern, Brych.	32/0929
Wdig (**Goodwick**), *pl.*, *p.*, Penf.	12/9438
Welshpool, gw. **Trallwng, Y.**	
Welsh St. Donat's, gw. **Llanddunwyd.**	
Wennallt, Y, *bryn*, Yr Eglwys Newydd, Morg.	31/1583
Wenvoe, gw. **Gwenfô.**	
Weobley Castle, gw. **Castell Weble.**	
Wepre, gw. **Gwepra.**	
Wern, Y, *plas*, Dolbenmaen, Caern.	23/5439
p., Esclusham, Dinb.	33/2750
Wern-ddu, Y, *ardal*, Y Fan/Rhydri, Morg.	31/1785
hyn., *plas*, Llandeilo Bertholau, Myn.	32/3215
Wernffrwd, *p.*, Llanrhidian Uchaf, Morg.	21/5193
Wernolau, *ardal*, Llanrhidian Uchaf, Morg.	21/5695
ardal, Rhydaman, Caerf.	22/6412
Werntarw, *ff.*, *pwll glo*, Llangrallo Uchaf, Morg.	21/9684
Western Cleddau, gw. **Afon Cleddy Wen.**	
West Mouse, gw. **Maen y Bugail.**	
Whitchurch, Morg., gw. **Eglwys Newydd, Yr.**	
Penf., gw. **Tre-groes.**	
Whitechurch, Penf., gw. **Eglwys Wen.**	
White Mill, gw. **Felin-wen.**	
Whitford, gw. **Chwitffordd.**	
Whitland, gw. **Hendy-gwyn.**	
Wictwr, *n.*, Llanidloes/Llandinam, Tfn.	22/9887
Wicwer (**Wigfair**), *plas*, Cefn, Dinb.	33/0271
Wig, Y, (**Wick**), *pl.*, *p.*, Morg.	21/9272
Williamstown, gw. **Trewiliam.**	
Wiston, gw. **Cas-wis.**	
Wolfpits, gw. **Pwll-y-blaidd.**	
Wolf's Castle, gw. **Cas-blaidd.**	
Wolvesnewton, gw. **Llanwynell.**	
Wonastow, gw. **Llanwarw.**	
Worm's Head, gw. **Pen Pyrod.**	

Wrecsam, *pl., bd.,* Dinb. 33/3350
Wrinstwn (Wrinston), *ff.,* Gwenfô, Morg. 31/1372
Wybrnant, *n., ardal,* Dolwyddelan/Penmachno, 23/7652
Caern.
Wyddfa, Yr, (Snowdon), *m.,* Caern. 23/6054
Wyddgrug, Yr, (Mold), *pl., t.,* Ffl. 33/2363
Wye, R., gw. **Afon Gwy.**

Y

Ynys, *p.,* Llannor, Caern. 23/3836
Ynys Amlwch (East Mouse), *y.,* Amlwch, Môn. 23/4494
Ynysarwed, *ardal, ff.,* Nedd Isaf, Morg. 22/8101
Ynysawdre, *pl.,* Morg. 21/8984
Ynys-boeth, *p.,* Llanwynno, Morg. 31/0796
Ynys Bŷr (Caldy Island), *y., pl.,* Penf. 21/1396
Ynyscynhaearn, *pl.,* Caern. 23/5538
Ynys Deullyn, *y.,* Llanrhian/Mathri, Penf. 12/8434
Ynys Dewi (Ramsey Island), *y.,* Tyddewi, Penf. 12/6923
Ynys Dulas, *y.,* Llaneilian, Môn. 23/5090
Ynys Ddu, *y.,* Llanwnda, Penf. 12/8838
Ynys-ddu, *p.,* Mynyddislwyn, Myn. 31/1892
Ynyse, *ff.,* Cynwyl Gaeo, Caerf. 22/6539
Ynys Enlli (Bardsey), *y., pl.,* Caern. 23/1221
Ynys Fach, *y.,* Llanrhian, Penf. 12/8232
Ynysfergi, *bryn, ff.,* Y Borth, Cer. 22/6189
Ynysfor, *ardal, plas,* Llanfrothen, Meir. 23/6042
Ynysforgan, *ardal,* Abertawe, Morg. 21/6799
Ynysgedwyn, *ardal,* Ystradgynlais Isaf, Brych. 22/7709
Ynys Gifftan, *y.,* Talsarnau, Meir. 23/6037
Ynys Gwylan (Fach/Fawr), *y.,* Aberdaron, Caern. 23/1824
Ynys Gybi (Holy Island), *y.,* Caergybi/Rhoscolyn, 23/2381
Môn.
Ynysgynwraidd (Skenfrith), *p., ca.,* Llangatwg 32/4520
Feibion Afel, Myn.
Ynys-hir, *p.,* Rhondda, Morg. 31/0292
Ynys Lannog, gw. **Ynys Seiriol.**
Ynys-las, *ardal,* Genau'r-glyn, Cer. 22/6193
Ynys Lochdyn, *y.,* Llangrannog, Cer. 22/3155
Ynys Llanddwyn, *g.,* Niwbwrch, Môn. 23/3862
Ynys Meicel, *y.,* Llanwnda, Penf. 12/8941
Ynysmeudwy, *p.* Llan-giwg, Morg. 22/7305
Ynysoedd y Moelrhoniaid (The Skerries), *y.,* 23/2694
Llanfair-yng-Nghornwy, Môn.
Ynysowen (Merthyr Vale), *p.,* Merthyr Tudful, 31/0799
Morg.
Ynys-pen-llwch, *ysgol,* Rhyndwyglydach, Morg. 22/7001

Ynys Seiriol (Ynys Lannog) (Puffin Island or **Priestholm),** *y., pl.,* Môn.	23/6582
Ynystawe, *ardal,* Abertawe, Morg.	22/6800
Ynys-wen, *p.* Rhondda, Morg.	21/9597
Ynys y Barri (Barry Island), *g.,* Y Barri, Morg.	31/1166
Ynys-y-bŵl, *p.,* Llanwynno, Morg.	31/0594
Ynysymaengwyn, *plas,* Towyn, Meir.	23/5902
Ynysymaerdy, *ardal,* Castell-nedd, Morg.	21/7494
Ynysymwn (*nid* **Ynys-y-mond),** *pl., p.,* Morg.	22/7102
Ysbyty Cynfyn, *eg.,* Cwmrheidol, Cer.	22/7579
Ysbyty Ifan, *p.,* Tir Ifan, Dinb.	23/8448
Ysbyty Ystwyth, *pl., p.,* Cer.	22/7371
Ysceifiog, gw. **Ysgeifiog.**	
Ysclydach, gw. **Is-clydach.**	
Ysgafell Wen, *clog.,* Dolwyddelan, Caern.	23/6649
Ysgeifiog, *pl., p.,* Ffl.	33/1571
Ysgubor-y-coed, *pl.,* Cer.	22/6795
Ysgyryd Fach, *bryn,* Y Fenni, Myn.	32/3113
Fawr, *m.,* Llanddewi Ysgyryd/Llandeilo Bertholau, Myn.	32/3317
Ystalyfera, *t.,* Llan-giwg, Morg.	22/7608
Ystog, Yr, (Churchstoke), *pl., p.,* Tfn.	32/2794
Ystrad, Cer., gw. **Llanfihangel Ystrad.**	
Ystrad, Yr, Morg., gw. **Ystradyfodwg.**	
Ystradau, gw. **Strade.**	
Ystradfellte, *pl., p.,* Brych.	22/9313
Ystrad-ffin, *eg., ff.,* Llanfair-ar-y-bryn, Caerf.	22/7846
Ystrad-fflur (Strata Florida), *abaty, eg.,* Caron-uwch-clawdd, Cer.	22/7465
Ystradgynlais, *pl., t.,* Brych.	22/7810
Ystrad Marchell, *abaty,* Y Trallwng, Tfn.	33/2510
Ystradmerthyr, *plas,* Sain Pedr, Caerf.	22/3918
Ystradmeurig, *p.,* Gwnnws Isaf, Cer.	22/7067
Ystradmynach, *p.,* Llanfabon, Morg.	31/1493
Ystradowen, *pl., p.,* Morg.	31/0177
Ystradyfodwg (Ystrad Rhondda), *p., ardal,* Rhondda, Morg.	21/9795
Ystumcegid, *ardal,* Dolbenmaen, Caern.	23/5041
Ystumllwynarth (Oystermouth), *pl., p., ca.,* Morg.	21/6188
Ystumllyn, *ff.,* Cricieth, Caern.	23/5138
Ystumtuen, *p.,* Cwmrheidol, Cer.	22/7378
Ystwffwl Glas, *ogof,* Ynys Enlli, Caern.	23/1120